DES HOMMES DANS LA GRANDE GUERRE

14-18

Texte : Isabelle Bournier

Dessins : Tardi

casterman

L'auteur et l'éditeur expriment toute leur gratitude à Jean-Pierre Verney
pour son aide précieuse à la réalisation de cet ouvrage.

Les illustrations de Tardi reproduites dans cet ouvrage sont tirées des albums *C'était la guerre des tranchées* (©Casterman, 1993) et *Guerre et Poste* (©Casterman/Musée de la Poste, 2007).

Crédits photographiques:

Collections du Musée de la Grande Guerre du pays de Meaux : 1, 6, 8hg, 8hd, 8m, 10h, 10bm, 11, 12d, 13bg, 13hd, 15hm, 16, 18hd, 19m, 20, 21h, 22hm, 23m, 23b, 24, 25, 27, 28, 30b, 32h, 32b, 33h, 33m, 33bm, 34, 35bg, 36, 38, 39m, 39b, 41h, 41m, 42hm, 43hd, 44, 45h, 46h, 47d, 48hd, 49g, 49bd, 50, 51m, 52, 54hd, 55hm, 55g, 56, 57g, 58md, 60, 61g, 61d.
Collections du Mémorial de Caen : 4-5, 10bg, 11hm, 12hg, 13md, 14, 15b, 19hd, 21m, 21d, 22hd, 29d, 31m, 35h, 35bd, 39md, 40h, 40m, 42hg, 42hd, 45bd, 49hm, 51hg, 51hd, 54bd, 57bm, 58h, 59bd, 61hm, 61b.
Archives Casterman : 8b, 9, 13hm, 15d, 18b, 26h, 29hm, 30g, 31bd, 41b, 43m, 47h, 49bm, 54bg, 59h, 59bg, 61m.
Roger-Viollet : 23hd, 26b, 61h.
AKG Photos : 43mg, 46b, 57d, 58m.
Ministère de la Culture / Médiathèque du Patrimoine, Dist. RMN © Paul Castelnau : 29b, 32m.
Rue des Archives : 35h.

Conception et réalisation graphique: Cécile Chaumet (http://zazanapoli.com)

Remerciements particuliers à Jean-Pierre Guéno, directeur des éditions de Radio-France, pour le travail de collecte de témoignages, lettres, carnets et autres écrits.

© Casterman 2008
www.casterman.com

ISBN 9 782203 017870
Dépôt légal : octobre 2008
D. 2008/0053/472

Déposé au ministère de la Justice, Paris (loi n°49.956 du 16 juillet 1949
sur les publications destinées à la jeunesse).

Imprimé en France par PPO Graphic.

Il ne s'agit pas, dans cet ouvrage, de raconter les événements militaires qui se sont succédé pendant ces cinq années de guerre. On ne fera pas l'inventaire des transformations d'un matériel en pleine mutation technologique, s'éloignant mois après mois des conflits du XIXᵉ siècle pour entrer de plain-pied dans ceux du XXᵉ siècle. On ne trouvera pas d'analyse politique des causes et des conséquences de la Première Guerre mondiale.

Alors, de quoi parlons-nous ?

Nous parlons des hommes. Des hommes qui, au-delà de l'enjeu des batailles, regardent la mort en face ; des femmes qui, aux champs ou dans les usines d'armement, épuisent leurs dernières forces ; des enfants qui, loin de la carte postale angélique, font l'objet de toutes les propagandes et de tous les espoirs d'un avenir meilleur.

Partir, combattre, survivre, souffrir, mourir, oublier, revenir, témoigner... les verbes que nous avons choisis pour rythmer ce livre pourraient tout aussi bien scander les pages d'un autre ouvrage, sur un autre conflit. Étonnant ? Non, car nous parlons des hommes, des hommes au cœur de la guerre.

Il faut avoir vu l'homme dans cet état déchaîné pour le connaître un peu.
Otto Dix

1914-1918 : CINQ

Un siècle d'une paix relative, interrompue par la guerre de 1870, vient de s'écouler en Europe ; au terme d'un grand mouvement d'expansion économique et coloniale, le Vieux Continent rayonne sur le monde. À la veille de la Première Guerre mondiale, il compte 450 millions d'habitants, soit un quart de la population de la planète, et la forte croissance démographique pousse, chaque année, plus d'un million d'Européens à s'expatrier dans les colonies et au Nouveau Monde.

Commencé en Europe, le conflit qui éclate en 1914 s'étend rapidement à d'autres régions du monde. Si le front principal s'ouvre à l'ouest du continent européen, les combats touchent aussi la Russie et le Proche-Orient.

Inaugurant le XXe siècle des catastrophes pour l'Europe et pour le monde, le désastre de la Première Guerre mondiale, appelée aussi la « Grande Guerre », peut se résumer en quelques chiffres : plus de 70 millions d'hommes ont porté l'uniforme, près de 10 millions sont morts, plus de 20 millions ont été blessés. Au-delà des chiffres, ces cinq années de terribles combats ont conduit les hommes au bout de l'horreur et, pour la première fois dans l'Histoire, au nom de la guerre totale, des sociétés entières ont été jetées dans un conflit.

Casque allemand

Casque français

Fusil français Lebel

ANNÉES DE COMBATS

UNE GUERRE INÉVITABLE ?

Coq patriotique

Statuettes symbolisant l'Alsace et la Lorraine.

L'empereur allemand Guillaume II, son fils le Kronprinz et le comte von Zeppelin.

TÉMOIGNAGE

Jules Isaac,
Un débat historique, 1933.

« On peut admettre qu'aucun gouvernement ne voulait de propos délibéré la guerre européenne. Mais l'obsession de la guerre les hantait tous, rôdait en eux et autour d'eux. [...] Chaque groupe attribuait à l'autre des projets d'agression et agissait en conséquence ; chacun se jugeait en état de légitime défense et travaillait hâtivement à compléter son outillage de guerre. [...] Chaque groupe avait tendance à se croire le plus fort, par suite chacun acceptait le risque de guerre, chacun était décidé à ne pas reculer d'un pas devant l'autre. »

Illustrirte Zeitung

Krieg im Frieden

Unsere U-Boote

Face à la puissante flotte de guerre allemande, la Grande-Bretagne s'engage à construire deux fois plus de navires que sa rivale.
Ces affiches portent des slogans belliqueux : « La paix armée » et « Nos sous-marins ».

La tension monte en Europe

À la veille du premier conflit mondial, les tensions ne manquent pas en Europe : rivalités économiques entre le Royaume-Uni et l'Allemagne ; rivalités territoriales entre l'Allemagne et la France qui n'a pas renoncé à l'Alsace-Lorraine devenue allemande en 1871 ; rivalités entre l'Autriche-Hongrie et la Russie à propos des Balkans ; rivalités coloniales, enfin, provoquant de graves tensions entre la France et l'Allemagne qui évitent par deux fois une guerre à propos du Maroc.

Le terrible engrenage des alliances

À partir de la fin du XIXᵉ siècle, craignant l'éclatement d'affrontements, les grandes nations européennes constituent des alliances défensives. La Triple Alliance, qui regroupe l'empire allemand, l'empire austro-hongrois et l'Italie, fait face à la Triple Entente qui unit la France, l'empire russe et le Royaume-Uni. Dans chaque camp, les États s'engagent à intervenir militairement pour défendre le pays agressé et se lancent dans une course aux armements.

C'est la guerre !

Le 28 juin 1914, François-Ferdinand, héritier du trône d'Autriche-Hongrie, est assassiné par un Bosniaque partisan du rattachement de la Bosnie à la Serbie.

L'Autriche-Hongrie prend ce prétexte pour déclarer la guerre à son ennemie serbe. Alliée de la Serbie, la Russie mobilise son armée contre l'Autriche-Hongrie. L'Allemagne, pensant que le conflit restera limité aux Balkans, accepte le risque d'une guerre afin de soutenir son principal allié, l'empire austro-hongrois. La France et le Royaume-Uni se rangent aux côtés de la Russie. Fin juillet, le jeu des alliances entre en action et la crise, échappant à tout contrôle, devient un conflit généralisé.

L'étincelle provoquant l'embrasement de l'Europe aurait pu surgir sur le terrain des rivalités coloniales, mais c'est à Sarajevo, dans une zone de forte tension surnommée « la poudrière des Balkans », qu'un simple attentat déclenche le premier conflit mondial.

LA MARCHE À LA GUERRE

- **28 juin 1914**
  Attentat de Sarajevo.

- **28 juillet**
  L'Autriche déclare la guerre à la Serbie.

- **1er août**
  L'Allemagne déclare la guerre à la Russie.

- **3 août**
  L'Allemagne déclare la guerre à la France.

- **4 août**
  Le Royaume-Uni déclare la guerre à l'Allemagne.

« Le moment n'est pas venu de regarder en arrière… Une troupe qui ne peut plus avancer devra, coûte que coûte, garder le terrain conquis et se faire tuer plutôt que de reculer. »

Ordre du jour de Joffre à la bataille de la Marne.

1914: l'échec des grandes offensives

Au début de la guerre, les troupes qui se déplacent à pied parcourent parfois plusieurs dizaines de kilomètres par jour.

Uniforme français

Clairon

TÉMOIGNAGE

Jean Galtier-Boissière, *En rase campagne.*

« Le départ, début août 1914 : Enfin ! Nous allons viser autre chose que des silhouettes en carton à 50 mètres, tirer de vraies cartouches, nous servir de notre terrible baïonnette autrement que pour éventrer de grotesques mannequins.

22 août 1914, première confrontation à la guerre : soudain, des sifflements stridents nous précipitent face contre terre, épouvantés. La rafale vient d'éclater au-dessus de nous… Je jette un coup d'œil sur mes voisins : haletants, secoués de tremblements nerveux, la bouche contractée par un affreux rictus, tous claquent des dents. Cette attente de la mort est terrible… Non, nous ne sommes pas des soldats de carton ! Mais notre premier contact avec la guerre a été une surprise assez rude… Persuadés de l'écrasante supériorité de notre artillerie et de notre aviation, nous nous représentions naïvement la campagne comme une promenade militaire, une succession rapide de victoires faciles et éclatantes. »

Plan Schlieffen contre Plan XVII

Le plan allemand, appelé Plan Schlieffen, prévoit d'écraser la France en six semaines, en passant par la Belgique. Vainqueur sur le front ouest, l'Allemagne disposera ensuite de l'essentiel de ses troupes pour se retourner contre la Russie. Le plan allié, Plan XVII, choisit lui aussi l'offensive pour assurer la défense du territoire français et attaque en direction de l'Alsace et de la Lorraine.

Vaincre la France en six semaines

Violant la neutralité belge, les troupes allemandes pénètrent en France et progressent rapidement vers Paris. Début septembre, elles sont à une trentaine de kilomètres de la capitale quand un brusque changement de direction donne à l'état-major français, commandé par Joffre, l'occasion unique de bloquer l'avancée allemande et de lancer une contre-attaque. La bataille de la Marne qui s'ensuit met finalement en échec le plan Schlieffen. Chaque armée tente alors de déborder l'autre en passant plus au nord, c'est « la course à la mer » qui se solde, fin 1914, par une immobilisation du front. À l'Est, les armées russes pénètrent en Prusse orientale mais, lourdement battues à Tannenberg, elles commencent à reculer.

L'épisode des taxis de la Marne est resté célèbre, plus pour l'idée originale de transporter des troupes sur le front en taxi que pour sa réelle efficacité militaire. Seuls 4 000 soldats emprunteront ce moyen de transport improvisé.

Les premières hécatombes

L'état-major français qui n'a pas vu venir l'attaque envoie ses fantassins en terrain découvert, au son du clairon comme sur un terrain de manœuvres. Ils partent ainsi combattre les Allemands qui les attendent, abrités dans des trous et armés de mitrailleuses. Pensant que la guerre sera courte, les meilleures troupes sont engagées dans les combats et montent à l'assaut. C'est un massacre. Les renforts français, fauchés par les canons allemands, n'ont même pas le temps d'arriver en première ligne. En quelques jours, des divisions entières sont réduites à quelques poignées d'hommes.

Uniforme allemand

PARIS MENACÉ

Le 2 septembre 1914, les Allemands sont à trente kilomètres de Paris. La situation est grave ! Le président de la République et le gouvernement quittent la capitale pour Bordeaux, emmenant avec eux les 1 400 tonnes d'or et les 3 000 tonnes d'argent de la Banque de France. En proie à l'inquiétude, des centaines de milliers de Parisiens partent pour les campagnes environnantes.

Après de terribles combats, une poignée de soldats canadiens tente de maintenir sa position dans le secteur de Vimy.

Obus de 37 mm

Fusil de tranchée

Ce dispositif permettait au soldat de viser et tirer par-dessus le parapet de la tranchée.

1915-1917 :
DE LA GUERRE DES TRANCHÉES À LA GUERRE MONDIALE

LES BATAILLES MEURTRIÈRES DE 1916

VICTIMES (BLESSÉS, MORTS OU DISPARUS)

- **Bataille de Verdun**
  (février-décembre 1916)

  Plus de 700 000 victimes :
  373 000 Français
  333 000 Allemands

- **Bataille de la Somme**
  (juillet-décembre 1916)

  Plus d'un million de victimes :
  420 000 Britanniques
  202 000 Français
  437 000 Allemands

À l'ouest, le front s'immobilise

De la mer du Nord à la frontière suisse, le front ne bouge plus et les armées, qui se font face, creusent des tranchées pour se protéger du feu ennemi. L'armement s'adapte : les grenades à tir courbe, les lance-flammes et les gaz asphyxiants, employés pour la première fois lors de la bataille d'Ypres en 1915, font leur apparition sur le champ de bataille. Les armées utilisent aussi des ballons d'observation et des avions qui finissent par bombarder les tranchées adverses ou s'affronter dans les airs. Toutes les tentatives visant à percer le front ayant échoué, les Alliés décident de porter les combats dans le nord de l'Italie, dans les Balkans et au Moyen-Orient.

Les sentinelles allemandes, reconnaissables à leur casque à pointe, observent le no man's land, cherchant à y détecter toute activité suspecte de l'ennemi.

La guerre sur mer se déchaîne

Dominés par la France et le Royaume-Uni qui imposent un sévère blocus à l'Allemagne, les océans deviennent le théâtre d'affrontements violents. Dès 1915, les sous-marins du Kaiser ont reçu l'ordre de couler systématiquement les navires de commerce qui ravitaillent les Alliés. Cette guerre sous-marine qu'aucun état-major n'avait prévue parvient, à partir de février 1917, à paralyser le transport maritime et oblige les navires alliés à naviguer en convois, escortés par des bateaux de guerre.

1917 : le tournant du conflit

L'année 1917 est marquée par une révolution en Russie entraînant l'effondrement de la monarchie et la chute du tsar Nicolas II. Le nouveau pouvoir bolchevik engage immédiatement des négociations avec l'Allemagne et signe la paix de Brest-Litovsk (mars 1918). Si la guerre est finie pour les Russes, elle commence pour les Américains, dont le pays entre dans le conflit en avril 1917. L'espoir renaît chez les Alliés qui attendent désormais l'arrivée des soldats américains pour reprendre les grandes offensives.

Les soldats américains qui débarquent en Europe sont chaleureusement accueillis par les populations civiles.

TÉMOIGNAGE

Extrait du message du Président Wilson au Congrès des États-Unis, 2 avril 1917.

« La guerre actuelle de l'Allemagne contre le commerce est une guerre contre l'humanité. Des navires américains ont été coulés et des vies humaines ont été perdues dans des circonstances qui nous ont profondément remués. Je recommande au Congrès d'accepter la position de belligérant qui lui a été imposée. [...] La neutralité n'est plus possible, ni désirable, quand il y va de la paix du monde et de la liberté des peuples. »

1918 : LA VICTOIRE DES ALLIÉS

Tenir jusqu'au dernier quart d'heure

À Londres, à Paris et à Berlin, les gouvernements des pays belligérants se concentrent désormais sur un objectif unique : gagner la guerre, jeter leurs derniers efforts dans la bataille et résister le plus longtemps possible. Tous ont la même certitude : le vainqueur sera celui qui tiendra jusqu'au « dernier quart d'heure ».

Les grandes offensives reprennent

Au printemps 1918, l'état-major allemand sait que son ultime espoir de gagner la guerre est de percer le front ouest avant l'arrivée massive des Américains. L'offensive finale mène l'armée du Kaiser jusqu'à la Marne et menace à nouveau Paris qui est bombardé par des canons à longue portée, fin mars 1918. Foch, qui a pris le commandement des troupes alliées, parvient à contenir l'offensive allemande. Disposant désormais de centaines de chars et d'avions, renforcé par les troupes américaines fraîchement débarquées, il organise la contre-offensive et remporte une nouvelle victoire sur la Marne.

À l'annonce de la victoire, les troupes canadiennes manifestent leur joie.

L'armée allemande au bord de l'épuisement

À partir du mois d'août, l'armée allemande donne des signes de faiblesse. Si l'arrivée des Américains permet une meilleure rotation des troupes alliées, les unités allemandes, pour leur part, ne parviennent plus à se reposer. Difficultés d'approvisionnement et infériorité technique due en partie au faible nombre de chars et d'avions aggravent la situation. À l'automne 1918, sur le front comme à l'intérieur du pays, l'Allemagne est proche de l'effondrement.

Demandes d'armistices

Entre septembre et octobre 1918, les trois alliées de l'Allemagne, la Bulgarie, l'Autriche-Hongrie et la Turquie, sont battues sur divers théâtres d'opérations et demandent des armistices. En Allemagne, la situation est tendue et, le 9 novembre, une révolution éclate à Berlin : Guillaume II abdique, la monarchie s'effondre. L'armistice est signé le 11 novembre à 5 heures du matin et prend effet ce même jour à 11 heures.

TÉMOIGNAGE

Ernst Jünger, *Orages d'acier.*

« Ces derniers jours, avec une constance dont seul peut rendre compte le fait que toute l'armée possède, à côté de son unité stratégique, une unité morale, il s'était formé chez tous les hommes, me semble-t-il, l'idée que nous étions en train de descendre la pente. À chaque attaque, l'ennemi mettait en ligne un équipement de plus en plus puissant ; ses coups devenaient plus rapides et plus durs. Chacun savait que nous ne pouvions plus vaincre. Mais l'adversaire devait savoir que l'esprit viril n'avait pas encore disparu. »

LE TRAITÉ DE VERSAILLES

Le 28 juin 1919, le traité de Versailles met fin à la Première Guerre mondiale. Excluant volontairement les vaincus, seuls les vainqueurs siègent à la table des négociations et décident des termes du traité. L'Allemagne, désignée comme «seule responsable de la guerre», rejette catégoriquement ce texte qu'elle n'a pu négocier et qu'elle qualifie immédiatement de *Diktat.*

La signature de l'armistice se déroule dans un wagon installé à Rethondes, dans la forêt de Compiègne. Devant le maréchal Foch, la délégation allemande signe l'armistice sans pouvoir en discuter les dures conditions.

Signature du traité de Versailles : au centre, on reconnaît l'Américain Wilson, le Français Clemenceau et l'Anglais Lloyd George.

Mais ce gaillard est irrésistible

U MATIN
RNAL
Mardi 24 Juin 1919.

PAIX !

sans conditions

LA SALVE de la victoire

ceau, président de la Conférence de la Paix :
Versailles, le 23 juin 1919.

« *De cette paix imposée sortira une nouvelle haine entre les peuples et de nouveaux meurtres au cours de l'histoire.* »

F. Ebert, président socialiste de l'Allemagne, 1919.

COMBATTANTS

Ballon d'observation

Si chacun sait que la brutalité est au cœur de toutes les guerres, il apparaît que la Première Guerre mondiale constitue un véritable tournant en matière de violence. Dès 1914, le conflit devient plus brutal qu'aucun autre jusqu'alors, car les adversaires ont entre les mains des armes beaucoup plus meurtrières que lors des guerres précédentes.

Les terribles combats de 1914 laissent place, dès 1915, à une guerre d'usure. Le front s'immobilise et les armées s'enterrent en creusant des tranchées. Aucune attaque n'est vraiment décisive. Les états-majors qui s'entêtent à envoyer les hommes au combat provoquent la mort de milliers de soldats pour quelques kilomètres de terrain gagnés.

À la férocité des batailles vient s'ajouter l'extrême dureté des conditions de vie. Il n'est pas un combattant qui ne parle de la boue des tranchées, du froid, de la soif, des poux, des rats… Jusqu'à leur mort, longtemps après la fin du premier conflit mondial, une question a hanté les survivants de la Grande Guerre: pourquoi? Pourquoi, eux, en ont-ils réchappé alors que tant de leurs camarades sont morts? Cette question n'a pas de réponse. Nous en poserons donc une autre. Comment? Comment ont-ils pu tenir?

Cisailles coupe-barbelés

Grenades

Périscope de tranchée

Partir pour la guerre

ARMÉE DE TERRE ET ARMÉE DE MER

ORDRE DE MOBILISATION GENERALE

Convocation
envoyée
aux hommes
mobilisés (1916).

TÉMOIGNAGE

Émilie Carles, Une soupe aux herbes sauvages, récit autobiographique, 1978.

« C'était la pleine moisson. Quand on a entendu les cloches sonner, on s'est demandé pourquoi elles sonnaient comme ça. C'est le garde champêtre qui nous a annoncé la nouvelle. Il disait à tous ceux qu'il croisait : "C'est la guerre! C'est la guerre!" Vraiment ça n'avait pas l'air vrai... Quand les ordres de mobilisation générale et les feuilles de route sont arrivés dans les familles, les gens ont commencé à se rendre compte que la guerre était bien réelle. Tous les hommes valides recevaient leur feuille, la guerre c'était d'abord ça, la séparation. Il y en avait qui prenaient ça à la rigolade, ça va nous faire des vacances en plein été. Mais il y avait les autres, les inquiets qui voyaient tout en noir. Pour ceux-là la guerre, ou tout simplement s'en aller en quittant les moissons, c'était la fin de tout. Finalement, ils sont tous partis. En l'espace d'une semaine, le village avait changé du tout au tout, il n'y avait plus un homme entre vingt et trente ans, ils étaient tous à la guerre. »

Le bel été 1914

Il fait très beau en France, en cet été 1914. Les citadins se pressent dans les gares pour se rendre au bord de la mer. À la campagne, les moissons s'engrangent. Pourtant, l'inquiétude est dans l'air, on s'arrache les journaux dans les kiosques et les livrets de Caisse d'Épargne se vident. Le climat international est tendu depuis plusieurs années sans qu'aucun conflit n'ait éclaté; l'attentat de Sarajevo n'est qu'un fait divers de plus. Pourtant, la tension monte. Le 31 juillet, coup de tonnerre, Jean Jaurès, l'homme qui voulait sauver la paix, est assassiné. Le gouvernement français craint alors que le peuple se révolte contre la guerre, mais il n'en est rien, tous ont cessé de croire à la paix.

Jean Jaurès, homme politique socialiste et pacifiste convaincu, se dépense sans compter pour éviter la guerre. Son assassinat le 31 juillet 1914 met fin aux espoirs de paix.

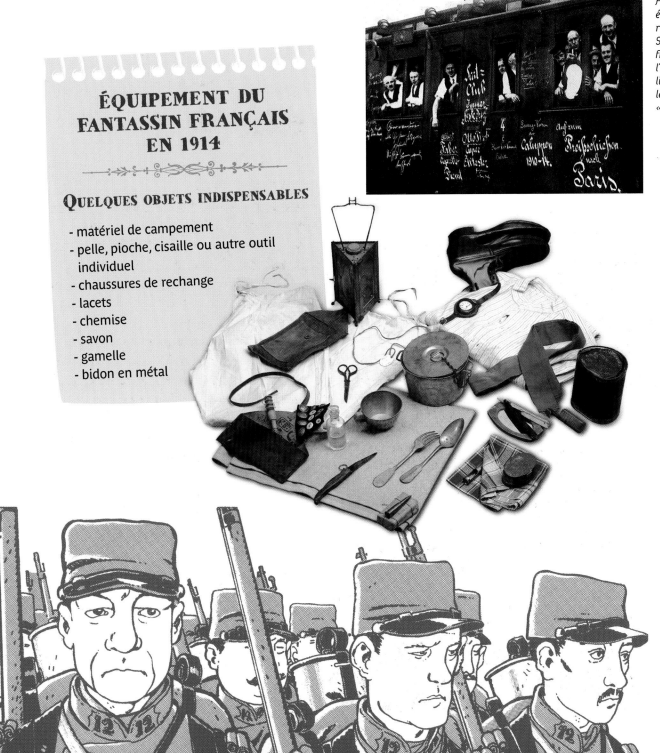

ÉQUIPEMENT DU FANTASSIN FRANÇAIS EN 1914

QUELQUES OBJETS INDISPENSABLES

- matériel de campement
- pelle, pioche, cisaille ou autre outil individuel
- chaussures de rechange
- lacets
- chemise
- savon
- gamelle
- bidon en métal

Après avoir reçu leur équipement, les soldats rejoignent les gares. Sur les wagons français en route pour l'Allemagne, on peut lire « À Berlin » et sur les trains allemands « Nach Paris ».

La mobilisation générale

Début août, dans tous les pays qui se préparent à la guerre, les affiches appelant à la mobilisation générale sont placardées sur les murs des villes. Pensant la guerre inévitable, les gouvernements les avaient fait imprimer depuis longtemps, il ne restait que la date du départ à ajouter. Si la France, l'Allemagne, la Russie, l'Autriche-Hongrie mobilisent leurs combattants, la Grande-Bretagne et le Canada, pour lesquels la conscription n'existe pas, font appel à l'engagement volontaire. Nombreuses sont alors les affiches qui incitent les hommes à rejoindre l'armée.

Nous serons rentrés pour Noël

Les soldats mobilisés se dirigent vers les gares, acclamés par des populations au patriotisme enthousiaste qui masque pour beaucoup de familles un terrible moment d'angoisse. Résignés ou pressés d'affronter l'ennemi dont on leur a tant parlé, les soldats partent défendre leur pays, pensant que la guerre sera courte et qu'ils seront rentrés au plus tôt pour les vendanges, au plus tard pour Noël. En Allemagne, Guillaume II, sûr de sa victoire, promet à ses troupes « une guerre fraîche et joyeuse » !

COMBATTRE EN PREMIÈRE LIGNE

La guerre des tranchées

À la fin de 1914, les armées s'immobilisent sur une ligne de 700 kilomètres, qui va de la frontière suisse à la mer du Nord. Pour se protéger du feu ennemi, les combattants creusent des tranchées qui s'organisent rapidement en un réseau sophistiqué de boyaux, abris, postes de guet et de commandement, cuisines ou encore infirmeries. Séparée de l'armée adverse par le *no man's land*, la tranchée de première ligne est tour à tour prise par l'ennemi, puis reprise au prix de lourdes pertes. Dans les zones de combats intenses comme à Verdun, les soldats ne peuvent tenir plus de huit jours et doivent être relevés continuellement. Tout droit sortis de l'enfer, les soldats redescendent du front, couverts de boue, épuisés...

La mise au point d'armes nouvelles comme les gaz, les lance-flammes ou les chars entraîne une aggravation des blessures et accentue le sentiment de terreur.

Grenades et "pétard-raquette"

Masque à gaz

« Orages d'acier »

Précédant l'assaut, le bombardement qui pilonne parfois les lignes durant plusieurs jours et plusieurs nuits est l'épreuve la plus terrifiante vécue par les soldats. Rompant les communications, privant les hommes de commandement, il désoriente complètement le combattant qui, le calme revenu, tente de retrouver son unité dans un paysage totalement dévasté. Tendant l'oreille en direction du sifflement émis par l'obus en déchirant l'air, le soldat parvient, avec l'expérience, à en deviner le calibre, la direction et le prochain impact.

En avant! À l'assaut!

Après le bombardement, c'est l'assaut tant redouté par les soldats. Peu fréquent dans la vie d'un combattant, il jette brutalement les hommes hors de la tranchée face au feu ennemi. L'artillerie de l'adversaire fait alors des ravages. Les mitrailleuses, armes maîtresses des champs de bataille, tirent jusqu'à 500 coups par minute, occasionnant plus de soixante-dix pour cent des blessures. Pliés en deux, les soldats courent sur le *no man's land*, se terrant dans des trous d'obus avec pour seul objectif d'atteindre la tranchée adverse.

LE SYSTÈME DES TRANCHÉES

Boyau
Tranchée étroite qui relie entre elles les tranchées de combat et permet l'acheminement de la nourriture ou le déplacement des troupes.

Cagna
Abri camouflé dans lequel se protègent ou se reposent les soldats.

Échafaud
Échelle de bois permettant aux combattants de sortir de la tranchée pour l'assaut.

Gourbi
Abri souvent rudimentaire.

Sape
Le travail de sape consiste à creuser des galeries souterraines sous les tranchées ennemies, à les remplir d'explosifs et à les faire sauter.

Saucisse
Surnom donné aux ballons captifs servant à observer les lignes ennemies et à diriger les tirs de l'artillerie.

Mitrailleuse autrichienne

« J'espère quand même que ma bonne étoile ne me quittera pas, mais seulement voilà, l'attaque est à 8 heures du matin et il n'y a plus d'étoile... »

Arthur, 16 avril 1917.

TÉMOIGNAGE

Lettre de Maurice Antoine Martin-Laval, médecin auxiliaire, février 1915.

« Successivement, chacun des trois lieutenants tombe frappé mortellement à la tête : les hommes, tel un château de cartes, dégringolent tour à tour... Quelques-uns arrivent jusqu'aux fils de fer barbelés : ils sont trop gros hélas pour qu'on les coupe ! Que faire ? Avancer ? Impossible ! Reculer ? De même... À la nuit, les blessés reviennent peu à peu. Que d'horribles blessures ! »

Inquiets, les poilus attendent l'heure de la prochaine attaque. L'officier déclenchera celle-ci par un coup de sifflet.

Soldats canadiens revenant du front. Les mouvements de troupes avaient souvent lieu de nuit pour échapper au feu ennemi, mais aussi pour éviter que les troupes qui montent au front, croisant ceux qui en redescendent, ne voient de trop près leur extrême lassitude.

Sifflet-boussole

Tranchées allemandes, tranchées alliées

Creusées pour se protéger du feu ennemi, les tranchées deviennent le lieu de vie de millions d'hommes. Les Allemands ont élaboré un système sophistiqué, conçu pour durer, avec abris bétonnés équipés parfois de fenêtres, de volets et d'électricité. Du côté français, l'état d'esprit est différent, l'objectif n'est pas de s'installer face à l'ennemi mais de le repousser jusqu'à la frontière. Les tranchées, prévues pour n'être que provisoires, sont moins bien équipées et les abris en bois peu résistants aux bombardements.

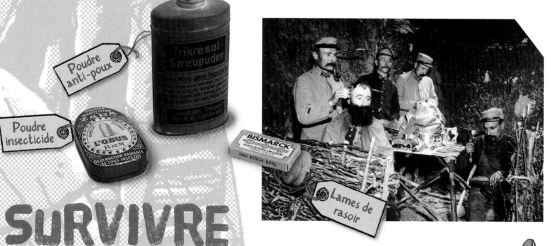

Poudre anti-poux

Poudre insecticide

Lames de rasoir

Profitant d'un moment de répit, un poilu se fait couper les cheveux et raser la barbe.

SURVIVRE DANS LES TRANCHÉES

Vaincre l'ennemi, vaincre l'ennui

Monter en première ligne, attendre la soupe et le courrier, effectuer les corvées de nettoyage, prendre son tour de garde, descendre au repos, espérer une permission, tel est le quotidien des soldats, devenu au fil des mois terriblement monotone. Ces jeunes hommes surnommés les « poilus » car ils ont renoncé à se raser en raison du rationnement de l'eau, vivent dans la boue ou la poussière, parmi les rats et les poux. La nuit, des patrouilles sortent des tranchées pour effectuer diverses missions : réparation des parapets, récupération des cadavres restés sur le *no man's land*, reconnaissance et raids sur les lignes ennemies. L'aube et le crépuscule sont les moments les plus propices pour lancer une attaque, les soldats doivent alors se tenir prêts à riposter. Le reste du temps, ils attendent.

Comment ont-ils tenu ?

Le quotidien du combattant c'est aussi la peur permanente de mourir. Bien sûr, la plupart des hommes sont portés par la défense de la patrie et la haine de l'ennemi, qu'on appelle *Boche* chez les Français ou *Hun* chez les Anglais, mais au fil des mois, c'est la fraternité qui aide à tenir, la camaraderie de tranchée. Parmi les promesses échangées, il y a celle d'aller chercher le corps du camarade tombé sur le *no man's land*, pour ne pas le laisser sans sépulture, de prévenir sa famille en plus du télégramme officiel et d'envoyer sa dernière lettre écrite avant de monter à l'assaut.

Au fond de la cagna, un soldat s'apprête à s'allonger dans un lit recouvert d'un grillage censé le protéger des attaques des rats.

Boîte à cigarettes allemande et sous-marin-briquet fabriqué à partir d'une douille d'obus.

LE VOCABULAIRE DU POILU

Des mots apparaissent...

Le cuistot = le cuisinier
La barbaque, la bidoche = la viande
Le rab = la ration supplémentaire
Le pinard = le vin
Les grolles, les godillots = les chaussures

... d'autres disparaissent

L'eau de Cologne (ville allemande) devient l'eau de Louvain

Le berger allemand s'appelle désormais le berger alsacien.

On évite de manger du bleu de Prusse et des saucisses de Francfort.

Malgré l'absence de confort et la médiocre qualité des aliments, le repas reste un moment très apprécié.

Ustensiles du soldat

TÉMOIGNAGE

Christian Bordeching, lieutenant allemand, février 1916.

« Ma chère Hanna,

J'ai reçu hier ton colis avec la marmelade et aujourd'hui celui avec les oranges et l'œuf. Tu me demandes ce que nous mangeons. Dans la semaine, en moyenne deux fois de la soupe aux pois à la couenne de lard, deux fois du bouillon de riz sucré, une fois des haricots verts et une fois de la soupe de riz avec de la viande de bœuf. On mange à même le couvercle de notre casserole de fer et j'ai toujours dans ma poche ma cuillère, juste essuyée à l'aide de papier... Je dors tout habillé, les pieds enfoncés dans un sac, le manteau par-dessus, puis recouvert d'une couverture de laine. Personne n'a peur de la crasse : on y est habitué. On rince, on boit et on se lave dans l'eau des tranchées. »

MOURIR AU FRONT

«Un obus recouvre les cadavres de terre, un autre les exhume à nouveau.»

Karl Fritz, caporal allemand.

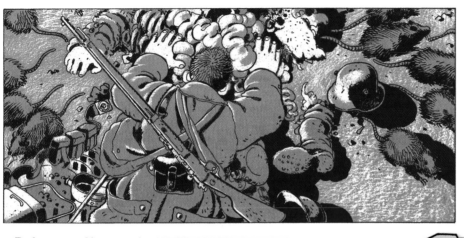

Prise par l'ennemi, la tranchée offre au vainqueur un spectacle effroyable où se côtoient morts et blessés, souvent achevés par les nettoyeurs de tranchées armés de casse-têtes, de couteaux et de pelles aiguisées.

TÉMOIGNAGE

Roland Dorgelès
Les Croix de Bois, 1919.

« Sans regarder, on sauta dans la tranchée… Tout un amas de chairs déchiquetées, avec des cadavres qu'on eût dit dévissés, les pieds et les genoux complètement retournés, et pour les veiller tous, un seul mort resté debout, adossé à la paroi. Le premier de notre file n'osait pas avancer… Puis poussés par les autres, on avança sans regarder, pataugeant dans la mort. »

Casse-têtes

Couteau de tranchée

Machette

Outre les balles, les gaz et les obus modernes, la mort est donnée à l'arme blanche, au corps à corps, comme dans les batailles médiévales.

TÉMOIGNAGE

Capitaine Paul Flamant, 33e R.I. Verdun 1916

« Nous vivons ici dans une boue immonde, il tombe sans cesse des pluies diluviennes et, lorsque le soleil luit soudain, des mouches infectes bourdonnent sur le charnier humide où ont été creusés nos abris et nos tranchées.

La glaise des boyaux est remplie de cadavres momifiés, allemands et français, qui se confondent avec la teinte neutre des choses, parmi les armes brisées et les épaves dont le sol de cette région est resté jonché depuis les furieux combats de 1916.

Çà et là, une main crispée sort de terre, un soulier chaussant un tibia apparaît à la suite de quelque éboulement. Nos hommes, indifférents, ou plutôt philosophes, y accrochent leurs bidons, le mort apporte ainsi son aide secourable au vivant et continue à participer à la vie de l'escouade. »

S'ils ont beaucoup parlé de leur peur d'être tué, les combattants ont dit peu de chose sur le fait d'avoir eux-mêmes donné la mort. Délaissant la baïonnette de leur fusil, c'est parfois à coups de pelle ou de couteau qu'ils ont tué. Cette brutalité a profondément traumatisé des combattants qui ne s'imaginaient pas capables de tels actes.

Sur les champs de bataille, la mort frappe au hasard et le plus souvent de façon anonyme. On ne sait qui vous tue ni qui l'on tue. Les techniques de combat et le courage des soldats comptent moins que la chance de ne pas être touché par le feu ennemi.

Diplôme allemand de mort pour la patrie.

Le soldat mort doit être identifié. Pour cela, il porte autour du cou et au poignet une plaque sur laquelle sont inscrits son nom, son prénom et l'année de son recrutement.

TÉMOIGNAGE

Extrait du discours d'un directeur d'école de Bayonne, 1936.

« Il m'est arrivé, à moi qui n'ai jamais appliqué un coup de poing à quiconque, à moi qui ai horreur du désordre et de la brutalité, de prendre plaisir à tuer. Lorsque, au cours d'un coup de main, nous rampions vers l'ennemi, la grenade au poing, le couteau entre les dents, la peur nous tenaillait les entrailles, et cependant une force immense nous poussait en avant.

Surprendre l'ennemi dans sa tranchée, sauter sur lui, jouir de l'effarement de l'homme... Cette minute barbare, cette minute atroce avait pour nous une saveur unique, un attrait morbide. »

La mort est omniprésente et chaque combattant s'y prépare secrètement. Les uns prient, d'autres croient au pouvoir protecteur de fétiches, médailles et autres signes. Tous, ou presque, écrivent à leur famille une lettre qui pourrait être la dernière, si la chance les abandonne.

Philippe Pétain rendant visite aux soldats après les mutineries d'avril 1917.

Les « mutins de 17 »

Avril 1917, l'offensive manquée du Chemin des Dames se solde par des pertes effroyables. C'en est assez ! Les poilus veulent bien se battre mais n'acceptent pas de mourir pour rien dans des attaques inutiles. Ceux que l'on appelle les « mutins de 17 » ont brusquement refusé de monter en première ligne, levant en l'air la crosse de leur fusil. Le général Pétain, faisant preuve de fermeté mais aussi de souplesse, met fin aux offensives systématiques, augmente la fréquence des permissions et améliore les conditions de vie du soldat, nourriture et confort du cantonnement.

Refuser de COMBATTRE

Les mutineries donnent lieu à plus de 3 000 jugements, dont 554 condamnations à mort qui se solderont par 49 exécutions. Face au peloton d'exécution, le condamné, s'il le souhaite, peut avoir les yeux bandés.

TÉMOIGNAGE

Lettre du caporal Henry Floch, décembre 1914.

« Ma bien chère Lucie,

Quand cette lettre te parviendra, je serai mort fusillé.

Le 27 novembre, vers 5 heures du soir, après un violent bombardement de deux heures dans une tranchée de première ligne, et alors que nous finissions la soupe, des Allemands se sont amenés dans la tranchée, m'ont fait prisonnier avec deux autres camarades. J'ai profité d'un moment de bousculade pour m'échapper... et ensuite j'ai été accusé d'abandon de poste en présence de l'ennemi.

Nous sommes vingt-quatre à être passés, hier soir, devant le Conseil de guerre. Six ont été condamnés à mort, dont moi. Je ne suis pas plus coupable que les autres, mais il faut un exemple...

Ma dernière pensée à toi jusqu'au bout. »

S'approchant des lignes françaises, des soldats allemands semblent vouloir fraterniser.

Fraterniser avec l'ennemi

Si la fraternisation est la forme de résistance dont on se souvient le mieux, elle ne constitue en rien l'expression d'une volonté de paix. Les épisodes les plus célèbres se déroulent à Noël, sur le front occidental, en 1914. En 1917, dès l'annonce du retrait de la Russie du conflit, des soldats russes encouragent les Allemands à exiger de leur gouvernement l'arrêt immédiat des combats.

Les embusqués

Être dispensé de tour de garde ou de corvées, trouver une place dans des unités moins exposées au feu ennemi comme les agents de liaison, les musiciens, les secrétaires d'état-major ou, mieux encore, chercher à prolonger sa permission, trouver une place dans un atelier travaillant pour la Défense nationale, telles sont les affectations recherchées par les embusqués. Si beaucoup espèrent la bonne blessure et l'évacuation vers un hôpital de l'arrière, d'autres choisissent de la provoquer en recourant aux mutilations volontaires du pied ou de l'index, à la simulation de maladies ou de la folie. Certains vont jusqu'à absorber des substances toxiques provoquant fièvres et abcès.

« Camarades,
Nous sommes trois régiments qui n'avons pas voulu monter en ligne. Nous allons à l'arrière, à vous tous d'en faire autant si nous voulons sauver notre drapeau. »

Signé : 8ᵉ division

DIFFÉRENTS REFUS DE COMBATTRE

- **Abandon de poste**
  Manquement à une mission militaire donnée.
- **Automutilation**
  Blessure volontaire pour être évacué du front.
- **Désertion**
  Abandon complet de son unité et même de l'armée.
- **Embusqué**
  Mobilisé qui reste à l'abri loin du front.
- **Fraternisation**
  Contact pacifique avec l'ennemi.
- **Mutinerie**
  Refus collectif de monter au front.
- **Insoumis**
  Homme refusant de répondre à l'ordre de mobilisation.
- **Reddition**
  Arrêt volontaire du combat, laissant la victoire à l'ennemi.

Paire de menottes

« On fleurit les tombes, on réchauffe le soldat inconnu. Vous, mes frères obscurs, personne ne vous nomme. »

Léopold Sédar Senghor.

L'appel aux empires

En septembre 1914, face à une population de 60 millions d'Allemands contre seulement 36 millions de Français et face aux premières hécatombes de la guerre, la France décide de recruter des combattants « indigènes » dans ses colonies. La Grande-Bretagne en fait autant, alors que l'Allemagne, qui ne possède que de rares territoires africains, ne peut en tirer véritablement profit.

Protégés par des cagoules de laine, les tirailleurs africains bravent le froid et l'humidité.

DÉFENDRE LA MÈRE PATRIE

SOLDATS DES EMPIRES

EMPIRE BRITANNIQUE
total 1 100 000

- Australie : 400 000
- Canada : 600 000
- Nouvelle-Zélande et Afrique du Sud : 100 000

EMPIRE FRANÇAIS
total 600 000

- Maghreb : 300 000
- Afrique noire : 200 000
- Indochinois : 50 000
- Malgaches : 40 000
- Océanie et autres : 10 000

Boîte à tabac

Les indigènes au combat

Tirailleurs sénégalais, annamites ou tonkinois, spahis algériens, tabors marocains, zouaves répondent à l'appel de la métropole. Les uns se battent en première ligne aux côtés des poilus, d'autres sont employés par les forces du génie pour des travaux de terrassement, d'autres encore travaillent dans les usines d'armement. Les combattants de la « Force noire », parmi lesquels les tirailleurs sénégalais, constituent le plus souvent des troupes de choc, faisant preuve de qualités de combat hors du commun. Malheureusement, les conditions de vie au front deviennent rapidement insupportables pour les troupes coloniales d'Afrique noire qui supportent difficilement le froid et l'humidité. Soucieux de les garder en vie pour les prochains combats, le commandement est parfois amené à les retirer du front pendant l'hiver.

Pendant l'hiver, les tirailleurs sénégalais rejoignent les camps d'instruction du sud de la France. Ces mois d'« hivernage » sont consacrés à l'instruction militaire et à l'entraînement.

Canadiens au combat, Annamites enrôlés dans le génie ou employés dans les usines d'armement, les soldats des empires participent activement à l'effort de guerre de leur métropole.

Le Canada en guerre

À peine la Grande-Bretagne a-t-elle déclaré la guerre à l'Allemagne, le 4 août 1914, qu'immédiatement le Canada se range aux côtés de sa métropole. Des milliers de volontaires se pressent alors dans les centres de recrutement. Plus de 600 000 hommes traversent l'Atlantique pour se battre en Europe, alors que d'autres, rejoints par des milliers de femmes, participent à l'effort de guerre en travaillant dans des usines d'armement.

TÉMOIGNAGE

Ernst Jünger, *Orages d'acier.*

« Dans la prairie, des appels et des cris de douleur à l'accent exotique s'élevaient. Ces voix nous rappelèrent les coassements des grenouilles qu'on entend dans les prés après un orage. Nous découvrîmes dans l'herbe haute une file de morts et trois blessés qui, soulevés sur leurs coudes, nous suppliaient de les épargner. Ils semblaient convaincus que nous allions les égorger.

À ma question : "Quelle nation ?", l'un répondit : "Pauvre Radjoute !" Nous avions donc devant nous des Hindous venus d'au-delà des mers pour se fracasser la tête dans ce coin perdu contre des fusiliers hanovriens. Pauvres types ! »

SOUFFRIR

Un brancard ou, plus souvent, une simple toile de tente suffit à transporter le blessé jusqu'au poste de secours.

« Pour la patrie mes yeux, pour la paix votre argent »,
tel est le slogan de cette affiche italienne qui sollicite
la générosité des civils.

Per la Patria
i miei occhi

Per la Pace
il vostro denaro

PRESTITO
NAZIONALE

Prothèse
de main

Trousse
de médecin
militaire

Blessé sur le champ de bataille

Plus de 20 millions de soldats ont été blessés pendant cette guerre et jamais, auparavant, les corps humains n'avaient été déchiquetés à ce point. Pour une blessure légère, le soldat utilise le pansement qu'il porte sur lui et rejoint l'infirmerie de la tranchée par ses propres moyens. S'il est sérieusement touché, il doit attendre les brancardiers qui le transportent alors au poste de secours où les médecins évaluent la gravité des blessures. Les blessés intransportables et les mourants ne vont pas plus loin ; les autres sont évacués vers un hôpital militaire.

Postes de secours et hôpitaux de campagne

Les attaques provoquent un tel afflux de blessés que les postes de secours et les hôpitaux de campagne sont rapidement engorgés. Soignant indifféremment Français et Allemands, médecins et infirmières sont peu préparés à ces blessures d'un genre nouveau qui broient les chairs et les os, blessures profondes où se mêlent la boue, les éclats de métal et des lambeaux de tissus, blessures engendrant d'atroces souffrances.

Les progrès de la médecine

Les besoins de la guerre stimulent la recherche scientifique qui engendre des progrès médicaux. La Première Guerre mondiale ne sera pas en reste : progrès de la chirurgie qui s'exerce désormais très près du front, perfectionnement de la transfusion sanguine, utilisation des rayons X pour localiser balles et éclats d'obus, et, enfin, progrès incontestables de la chirurgie faciale qui tente de recomposer le visage de ceux qui ont été défigurés... Quoique très significatives, ces avancées médicales sont restées insuffisantes face à l'aggravation des blessures physiques et à l'apparition de traumatismes psychologiques parfois irréversibles.

BLESSURES ET MALADIES DU COMBATTANT

• **La fièvre des tranchées**
Transmise par les poux, elle dure cinq à sept jours et touche près d'un million de soldats.

• **Le pied de tranchée**
Il est provoqué par l'extrême humidité des tranchées. Les pieds souffrent d'engelures faisant gonfler et craquer la peau. L'amputation peut s'avérer nécessaire.

• **Le gazage**
Il est provoqué par l'inhalation de gaz de combat occasionnant une très forte irritation des yeux et de la gorge et pouvant entraîner la mort par asphyxie. On reconnaît les combattants gazés au pansement qu'ils portent sur les yeux.

• **Les délires mentaux ou «choc de bombardement»**
Ce sont des chocs psychologiques temporaires ou définitifs très difficiles à soigner.

Prothèse de jambe

«Enseveli, enterré vivant, sous de lourdes masses de terre, dans quelques instants je vais manquer d'air et ce sera la mort. Je me suis mis à crier: "Emil ! Tu es là ?"»

Erich Sidow, soldat allemand.

À l'entrée du poste de secours, un blessé attend de recevoir les premiers soins.

TÉMOIGNAGE

Edouard C. Vaughan, officier britannique, août 1917.

« Dans l'obscurité, les grognements et les lamentations des blessés montaient de toutes parts: gémissements d'agonie, faibles, interminables et sanglotants, hurlements de désespoir. Il n'était que trop atrocement évident que des douzaines d'hommes gravement blessés avaient dû ramper dans des trous d'obus fraîchement creusés pour se protéger et que l'eau montait autour d'eux. À présent, incapables d'en sortir, ils se noyaient lentement... »

OUBLIER LE FRONT
le temps du repos

Avion en laiton fabriqué à partir d'une douille d'obus.

LES JOURNAUX DE TRANCHÉES

Imprimés avec des moyens de fortune, les journaux de tranchées sont rédigés au front par les poilus eux-mêmes entre un bombardement, un assaut et une alerte aux gaz. *Rigolboche*, *L'Écho des Marmites*, *Le Poilu déchaîné*, *Le Canard du boyau*, *La Guerre joviale*, *Le Front*... et bien sûr le célèbre *Crapouillot*, des centaines de titres rivalisent d'invention et de dérision.

« À quoi bon vous creuser la tête.
Un obus le fera bien. »
Le Cri de guerre, 20 octobre 1916.

« Pourquoi les vaguemestres portent-ils sur les lettres non délivrées : "Le destinataire n'a pu être atteint" alors que, en général, c'est au contraire parce qu'il a été atteint par un projectile que le destinataire n'est plus là ? »
L'Écho des guitounes, 10 novembre 1917.

Redescendus dans les cantonnements de repos, les soldats en profitent pour lire la presse. Mais les journaux ne sont que propagande diffusant une image de la guerre éloignée de la réalité.

Journaux de tranchées

TÉMOIGNAGE

Lettre de Martin Vaillagou à son fils Maurice, juin 1915.

« Maurice,

Toujours des fautes qui ne devraient pas exister. Mes observations ne produisent aucun effet. La lettre L n'a pas subi de changement malgré cinq ou six observations à ce sujet. Je veux en connaître la cause et je l'exige dans la prochaine lettre que tu vas m'envoyer. J'ai déjà fait une observation au sujet de la phrase <u>j'espère que tu soies</u>. J'en fais une deuxième. En tiendras-tu compte ? On dit : <u>j'espère que tu es en bonne santé</u> ou <u>je souhaite que tu sois de même</u>. Enfin... Aurai-je la satisfaction de voir que tu es reçu au certificat d'études ? Ou bien aurai-je l'ennui de songer que des fois je pourrais rester sur le champ de bataille sans être bien fixé sur ton avenir...? »

Spectacle de théâtre aux armées pour les soldats italiens.

Douille d'obus sculptée

Artisanat de tranchée

Tout au long de la guerre, dans les tranchées comme en arrière des lignes, les combattants n'ont jamais cessé de sculpter, de graver, de dessiner, de peindre… Grâce aux matériaux récupérés sur le champ de bataille, ils ont fabriqué des objets étonnants : instruments de musique, bijoux, briquets, figurines, douilles d'obus sculptées. Cette production artisanale et artistique, parfois réalisée sur commande, est offerte en cadeau, vendue ou échangée.

Lettres du front

La lettre est le lien indispensable qui relie le combattant à la vie et à ceux qu'il aime. Quand le front est calme, un soldat peut écrire une ou plusieurs lettres par jour, provoquant ainsi l'échange quotidien de plusieurs millions de courriers entre le front et l'arrière. Mais de quoi parlent ces lettres ? Des dures conditions de vie au front, mais aussi de ce que les combattants ont laissé derrière eux : l'exploitation agricole, le commerce, l'éducation de leurs enfants, les événements survenus dans la famille… Plus que les journaux de l'époque contrôlés par la censure, ces lettres nous permettent de comprendre l'état d'esprit des soldats de la Grande Guerre.

Bidon et casque convertis en mandolines.

Un repos bien mérité

Loin de l'horreur du front, dans les cantonnements de repos, les soldats trouvent, pour quelques jours ou quelques semaines, un moment de calme bien mérité. Est venu le temps de se distraire pour oublier les combats : matchs de football, séances de cinéma ou de théâtre, concerts de chansonniers, orchestres improvisés… C'est aussi le temps de soigner les blessures du corps et de l'esprit, le temps de se laver, de changer de vêtements, de manger et de dormir.

FÊTER Noël au front

LE RÉVEILLON DU COMBATTANT & DU PRISONNIER

Repas de Noël au front. Un sapin a été dressé sur la table et les soldats se partagent les victuailles reçues dans leurs colis.

Sur le front, les combattants se préparent à fêter Noël loin de leur famille. D'une armée à l'autre, les rites changent suivant la nationalité. Minuit, c'est l'heure de se mettre à table, parfois sur une simple caisse de bois, et de manger les victuailles récupérées ici et là ou reçues dans les colis. Un petit sapin est parfois dressé, quelques bougies allumées, mais les sentinelles, toujours à leur poste, surveillent comme chaque soir le *no man's land*.

TÉMOIGNAGE

Maurice Genevoix

« Il y eut une messe de minuit. L'église était comble de soldats. Cinq mois de guerre et de combats avaient terni les uniformes, hâlé et durci les visages. Les lumières du chœur expiraient au bord d'une foule confuse dont les seuls premiers rangs, touchés par la clarté tremblante des cierges, révélaient la sombre épaisseur. Mais soudain, sous les voûtes, un chant s'éleva, rude et viril, une lamentation puissante, unanime, qui nous parut ne devoir point finir. Tout un peuple chantait ainsi. Sa clameur grave, débordant la nef, allait au-devant de la nuit, semblait refluer en elle jusqu'aux lignes où nous étions hier, jusqu'à nos frères des tranchées, puis revenir d'eux à nous, plus puissante et plus charnelle, nous unissant les uns aux autres dans un même sentiment de pitié qui sourdait du profond de nos cœurs. »

Colis de Noël allemand contenant un petit sapin, une boule et un cigare.

Le Petit Journal

Ce dessin illustre une scène de fraternisation entre soldats allemands et soldats britanniques. Un petit sapin est posé sur le sol et quelques bouteilles vides laissent penser que la fête de Noël a donné lieu à des échanges amicaux entre ennemis.

Les épisodes les plus célèbres de fraternisations ont lieu lors du Noël 1914. Ces rencontres entre soldats ennemis, ces échanges de cadeaux et ces parties de football improvisées ont marqué les esprits mais n'ont en rien modifié le déroulement de la guerre.

TÉMOIGNAGE

Gustave Berthier, instituteur, 28 décembre 1914.

« Ma bien chère petite Alice,

Le jour de Noël ils [les Allemands] nous ont fait signe et nous ont fait savoir qu'ils voulaient nous parler. C'est moi qui me suis rendu à trois ou quatre mètres de leur tranchée d'où ils étaient sortis pour parler. Je résume la conversation que j'ai dû répéter peut-être deux cents fois depuis, à tous les curieux. C'était le jour de Noël, jour de fête, et ils demandaient qu'on ne tire aucun coup de fusil pendant le jour et la nuit… Ils étaient fatigués de faire la guerre, disaient-ils, étaient mariés comme moi (ils avaient vu ma bague), n'en voulaient pas aux Français… Ils me passèrent un paquet de cigares, une boîte de cigarettes bouts dorés, je leur glissai *Le Petit Parisien* en échange d'un journal allemand et je rentrai dans la tranchée française où je fus vite dévalisé de mon tabac… Le lendemain, ils purent s'apercevoir que ce n'était plus Noël, l'artillerie leur envoya quelques obus bien sentis en plein dans leur tranchée […].

Gustave »

Noël est aussi l'occasion de diffuser auprès de l'arrière une propagande en faveur de la victoire. Le père Noël ou saint Nicolas troquent leur habituel vêtement pour une tenue plus militaire.

Ces soldats canadiens écrivent sur un canon « Je suis le père Noël des Huns (Allemands) », porteur de mort.

À L'ARRIÈRE...

La Première Guerre mondiale précipite dans le chaos les hommes partis se battre sur le front mais aussi les civils: les femmes, les enfants et tous ceux qui sont restés en arrière des combats. En quelques jours, les villages se sont vidés, les usines ont perdu leurs ouvriers, les tramways leurs conducteurs, les écoles leurs instituteurs, les campagnes leurs agriculteurs... Ceux qui sont restés constituent désormais une nouvelle société que l'on appelle « l'arrière ».

Vivre à l'arrière du front ne signifie pas vivre à l'écart de cette guerre que l'on dit « totale ». Victimes de l'invasion, des premiers bombardements de l'histoire, de la pénurie, les civils deviennent acteurs du conflit en participant à l'effort de guerre.

La « mobilisation » de l'arrière joue un rôle essentiel. Les échanges avec le front sont quotidiens: transport de munitions, de nourriture, diffusion de la propagande mais aussi envoi de millions de lettres personnelles et de colis aux soldats... Il n'existe pas de rupture entre le front et l'arrière. Chaque famille n'est-elle pas directement touchée par le départ d'un mari, d'un père, d'un fils, d'un frère? Chaque combattant n'est-il pas soucieux de la santé de ceux qui lui sont chers, des résultats scolaires de ses enfants ou de l'avancement des travaux agricoles? Pourtant, ils ont parfois du mal à se comprendre, les combattants témoins directs des horreurs du front se sentent parfois incompris d'une société pour laquelle, malgré tout, la vie continue.

« La perme »

Jusqu'au printemps 1915, seul le courrier relie les combattants à leurs familles. Mais au moment où la guerre s'annonce plus longue que prévu, il est devenu indispensable, pour maintenir le moral des troupes, de mettre en place un système de permissions. Le soldat anglais y a droit une fois tous les quinze mois ; le soldat canadien une fois par an pendant une dizaine de jours qu'il doit passer à Paris ou à Londres ; le combattant allemand ne peut rentrer chez lui, pour deux semaines, qu'après un an passé au front. Le soldat français profite d'environ soixante jours de permission sur les mille cinq cents jours qu'a duré la guerre.

À sa descente du train, un officier allemand blessé est accueilli et réconforté par sa famille.

« *Papa est très calme, très bien portant. Il nous embrasse très tendrement en nous disant au revoir ; nous mettons toute notre âme dans notre baiser pour qu'il se sente protégé par lui quand il ne nous verra plus. Nous restons calmes pour ne pas l'amollir (les larmes amollissent)… Nous restons tous sur le perron pour le voir partir…* »

Journal de Mimi Congar, janvier 1918.

« Encore… jours à faire. Plus que … jours. Je vais revenir pour fidèlement toujours vous chérir », espère un jeune soldat français songeant au moment où il va retrouver sa bien-aimée.

PARTIR EN PERMISSION

Le temps des retrouvailles

Heureux de revenir à la vie, soulagé de quitter l'horreur des combats, inquiet de laisser ses camarades au front, impatient de retrouver les siens, agacé du comportement de l'arrière, souvent déçu de n'être pas compris, le permissionnaire est en proie à des sentiments contradictoires. Dans les campagnes, la permission est l'occasion de retourner travailler aux champs. En ville, elle est vécue comme un temps de divertissement. Paris et ses plaisirs font rêver les soldats français et étrangers.

Avant de partir en permission, un soldat canadien rend visite au tailleur installé dans une cabane en tôle. En ville, il pourra poser devant le photographe.

L'ARRIVÉE DU PERMISSIONNAIRE

La plupart des combattants retrouvent famille, épouse ou enfants. Des moments forts, car le permissionnaire est avant tout considéré comme un survivant.

L'heure des revendications

Souvent annulées ou reportées, sources d'inégalité dans leur attribution, les permissions sont l'objet de nombreuses critiques de la part des poilus. En avril 1917, l'offensive du Chemin des Dames, aussi meurtrière qu'inutile, provoque dans les rangs français un mouvement de désobéissance et de mutinerie. Si les combattants réclament que cessent les attaques vouées à l'échec, ils demandent aussi une plus grande régularité des permissions. Le général Pétain, qui a compris l'importance de cette revendication, rend plus équitable leur attribution et augmente leur fréquence.

Tout est prévu dans le Guide du Poilu, y compris le temps de la permission.

Sous le feu ennemi, les habitants des villes situées sur la ligne de front vivent dans des conditions effroyables, subissant d'incessants bombardements. Ici, la ville de Reims et sa célèbre cathédrale.

TÉMOIGNAGE

Extrait du journal d'une habitante de Berlin.

« Ma mère parlait souvent du blocus sauvage. Les rations ont diminué rapidement. Je sais que des permissionnaires, rentrant chez eux, étaient épouvantés par l'aspect physique de leur famille. La faim faisait maudire l'Angleterre ; la mortalité infantile s'accrut, ma mère et moi-même avons enterré plusieurs de nos camarades d'école. Et ceci explique en grande partie la violence des grèves de 1917 : l'ouvrier allemand avait faim et il se désespérait de ne pouvoir nourrir sa famille. »

Des réfugiés ont entassé à la hâte quelques affaires sur une carriole.

Vivre à l'arrière

Les civils dans la guerre

L'avancée fulgurante des troupes allemandes provoque en août et septembre 1914 l'exode de milliers de Belges et de Français. Persuadés d'être sauvagement attaqués par des « francs-tireurs » lors de leur entrée en Belgique et dans le nord de la France, les soldats allemands se livrent à de terribles exactions : maisons pillées, incendiées, otages exécutés... Plus de six mille civils sont tués. L'occupation allemande s'accompagne de réquisitions de toutes sortes, bétail, véhicules, mobilier ; elle organise aussi le déplacement de travailleurs forcés vers l'Allemagne ou vers d'autres territoires occupés afin de fournir la main-d'œuvre indispensable à l'effort de guerre.

À l'image de ce petit Américain qui écrit sa « première lettre à papa », les civils sont appelés à soutenir le moral des soldats.

Pénurie et rationnement

En dépeuplant les campagnes, la mobilisation a entraîné une forte baisse de la production agricole ; en Allemagne, la situation est aggravée par le blocus maritime des Alliés. La guerre impose donc de recourir au rationnement des produits alimentaires, des textiles, du charbon... Mis en place en Allemagne, dès le début du conflit, il ne peut empêcher la population des villes de souffrir de la faim. En France, le rationnement institué par Clemenceau fin 1917, tout d'abord limité à Paris, s'étend bientôt à l'ensemble du territoire.

Une guerre, deux mondes

« Jamais tu ne croirais que nous sommes en guerre. Plus elle dure, plus ils s'amusent ; des magasins éclairés, des autos superbes, des femmes chic avec petits chapeaux, grandes bottes, poudre de riz, manchons et des petits chiens ; et des embusqués avec de belles vareuses en drap fin, des culottes ajustées et des machins jaunes bien plus reluisants que nos officiers. C'est une chose que répètent inlassablement les hommes casqués et sales, en capote fanée et gros souliers, qui errent sur les boulevards. »

Ces propos, retrouvés dans les carnets du combattant P. Truffau, illustrent l'incompréhension pouvant régner entre le front et l'arrière.

Carnets et tickets de rationnement français.

« L'HIVER DES RUTABAGAS »

Le rude hiver 1916-1917 a réduit les récoltes, en particulier celles de pommes de terre, et a fait geler les réserves. Seuls restent les rutabagas, navets peu nourrissants, qui peuvent remplacer les féculents dans de nombreuses recettes de cuisine et être consommés comme ersatz de café.

« Expliquez-moi, mon lieutenant, pourquoi ces gens-là ne sont pas mobilisés comme nous, hein ? à cinq sous par jour [...] pourquoi on leur donne des salaires, et des primes, et quoi encore ? Ils ne sont pas déjà assez veinards de tourner des obus au lieu de les recevoir sur la tête ? »

Jules Romains

On ne te demande pas de mourir mais de Vivre Avec Économie.

Affiche de propagande incitant les civils à ne pas gaspiller la nourriture et à restreindre leur consommation.

CONSOLER :
Les marraines de guerre

À l'heure de la distribution du courrier, le soldat sans contact avec sa famille est heureux d'entendre appeler son nom. Le filleul reçoit désormais des colis et rêve à la femme qui se cache derrière cette bienfaitrice. Est-elle une vieille dame aux cheveux gris ou une jeune fille qui pourrait devenir une fiancée ? Si marraine et filleul n'échangent pas de photos, il leur faut attendre la permission pour se découvrir. Roland Deflesselle écrit chaque jour à sa marraine de guerre.

TÉMOIGNAGE

« Le 24 mars 1918

Vous me demandez de vous infliger une punition pour votre léger retard. Puis-je le faire, moi qui en ai une à vous réclamer bien plus sévère pour mon long retard. En attendant ma semonce, je vous mets à l'amende [...] de dix gros baisers à me donner... moralement... savoir : 2 sur le milieu des lèvres, 1 à chaque extrémité, 2 sur chaque œil, 1 sur chaque joue.

[...] Si vous êtes de passage à Paris entre mi-avril et mai, dites-le-moi ma petite Jane et s'il m'est possible de vous rencontrer, j'y aurai le plus grand plaisir. C'est là que je vous demanderai... pas moralement mais matériellement tous vos baisers de chaque lettre et ceux des différentes rémissions demandées et accordées. »

Les combattants écrivent presque chaque jour à leur famille ou à leur marraine. Griffonnées dans un trou d'obus ou écrites avec soin, les lettres demeurent le lien indispensable qui les relie aux êtres chers.

En janvier 1915 est créée la première œuvre de marraines de guerre : « La Famille du soldat ». Femmes et enfants des écoles sont appelés à soutenir le moral des combattants en écrivant à des hommes inconnus et en leur envoyant des colis.

TÉMOIGNAGE

« Il y a longtemps que j'hésite à me faire marraine de guerre, pensant que celui qui m'aurait ne serait pas favorisé. Pensez, une fermière [...] ayant mon mari sur le front, trois enfants et n'ayant l'habitude d'écrire que depuis la guerre, c'est vous dire que ce ne sera pas exempt de fautes d'orthographe. Mais je suis émue par votre appel, si vous croyez qu'un bon cœur, un peu de religion et quelques paquets ça peut aller, envoyez un nom recommandé par un aumônier, je ferai de mon mieux. »

Les marraines confectionnent elles-mêmes des colis pour leurs filleuls ou leur envoient des paquets tout prêts sur lesquels elles n'ont plus qu'à écrire l'adresse.

Cette affiche hongroise idéalise le retour du combattant en permission.

Certains poilus laissent parfois percevoir leur agacement quand ils parlent des marraines de guerre et de la « douceur » de la vie à l'arrière.

TÉMOIGNAGE

Henri Aimé Gauthé

« L'œuvre des marraines au front est une trouvaille. Rien ne prouve mieux l'absolue ignorance des sentiments du front dans laquelle on est en France. On croit le soldat généreux, isolé, oublieux de ses anciennes convoitises, bon et charitable. [...] Des cœurs sensibles s'y sont trompés, par snobisme, par gloriole, peut-être rarement par charité. Elles ont voulu, celles qui dorment dans des lits, être douces et bienfaisantes, et donner aux culs gelés l'illusion de la chaleur et de la tendresse. »

CONDITIONNER LES ESPRITS

CENSURE ET PROPAGANDE

La mobilisation des esprits

De même que les civils à l'arrière, les soldats au front doivent croire en la victoire et accepter de fournir l'effort nécessaire pour y parvenir. Cette volonté de mobiliser les esprits constitue l'un des fondements de la guerre totale. Les gouvernements des pays belligérants, utilisant à la fois censure et propagande, tentent de contrôler l'information dans le but d'entretenir la haine de l'ennemi et la glorification de leurs armées respectives. Tous les moyens d'expression sont utilisés : journaux, affiches, cinéma, jeux ou encore livres pour enfants.

Journal de tranchée.

Presse quotidienne censurée.

La censure

Dès les premiers mois des combats, la censure est établie. La presse reçoit l'interdiction de publier toute information sur le déroulement du conflit qui n'émane du ministère de la Guerre. Afin de faire respecter ces consignes, les épreuves des journaux sont lues avant leur parution et les articles censurés sont tout simplement remplacés par des colonnes blanches sans texte. Seuls les journaux de tranchées, servant d'exutoire au « ras-le-bol » des poilus, se laissent aller à la critique et à la dérision. Le courrier des soldats est lui aussi soumis à la censure. Les lettres sont ouvertes et lues avant leur envoi à l'arrière.

Les slogans guerriers reprennent les mythes anciens : la France invoque Jeanne d'Arc quand l'Amérique appelle à stopper les Huns !

L'espionnite sévit dans chaque camp : « L'ennemi écoute, attention au téléphone ! » affirme cette affiche destinée aux soldats allemands.

Bourrage de crâne et désinformation

La censure favorise le bourrage de crâne qui véhicule sans relâche de fausses informations. Les défaites se transforment en victoires, l'ennemi en poltron qu'il faut aller chercher pour qu'il se batte et les assauts en promenades de santé. Surnommés les « bobards », ces mensonges permanents sur la réalité de la guerre et des conditions de vie des poilus sont tellement grossiers qu'ils finissent par faire douter l'opinion publique. Sur le front, les soldats s'en amusent ou se mettent en colère en lisant ce qu'on écrit sur eux.

« À part cinq minutes par mois, le danger est très minime, même dans les situations critiques. Je ne sais pas comment je me passerai de cette vie quand la guerre sera finie. »

Le Petit Parisien, 22 mai 1915.

LA PUBLICITÉ

S'accommodant de la guerre, la publicité s'adapte. À la veille de Noël 1914, un magasin parisien propose à ses clients le « Jusqu'au bout », un jeu de société décrit comme « amusant, historique et instructif pour jouer en famille et dans les tranchées ». Il est précisé, sur la publicité, qu'un modèle entoilé et plié a même été conçu spécialement pour les soldats.

« L'inefficacité des projectiles ennemis est l'objet de tous les commentaires. Les schrapnels éclatent en pluie inoffensive. Quant aux balles allemandes, elles ne sont pas dangereuses : elles traversent les chairs de part en part sans faire de déchirure. »

L'Intransigeant, 17 août 1914.

Obus destinés aux lignes allemandes sur lesquels un soldat canadien a écrit « Un cadeau de la part du Canada : ration de fer ».

45

Gagner la guerre à l'USINE

Obus de 37, 90 et 77 mm

« Si les femmes qui travaillent dans les usines s'arrêtaient vingt minutes, les Alliés perdraient la guerre. »

Propos attribués au maréchal Joffre.

TÉMOIGNAGE

Marcelle Capy, journaliste féministe, reportage clandestin dans une usine de guerre.

« L'ouvrière, toujours debout, saisit l'obus, le porte sur l'appareil dont elle soulève la partie supérieure. L'engin en place, elle abaisse cette partie, vérifie les dimensions, relève la cloche, prend l'obus et le dépose à gauche. Chaque obus pèse sept kilos. En temps de production normale, deux mille cinq cents obus passent en onze heures entre ses mains. Comme elle doit soulever deux fois chaque engin, elle soupèse en un jour trente-cinq mille kilos… J'ai vu ma compagne toute frêle, toute jeune, toute gentille dans son grand tablier noir, poursuivre sa besogne. Elle est à la cloche depuis un an. Neuf cent mille obus sont passés entre ses doigts. Elle a donc soulevé un fardeau de sept millions de kilos… Je la regarde avec stupeur et ces mots résonnent dans ma tête: trente-cinq mille kilos! »

Si l'encadrement des ateliers continue à être assuré par des hommes, les femmes, devenues ouvrières, travaillent dur pour assurer la survie de leur famille.

46

La première « guerre industrielle »

Assurer sans interruption le ravitaillement du front en armes, en véhicules, en nourriture, est devenu, au fil des mois, la préoccupation essentielle des pays belligérants. Partout est instaurée l'économie de guerre. Tous les pays réorganisent leur industrie et les usines, dont la production ne cesse d'augmenter, travaillent désormais pour les armées. La victoire en dépend !

Pour fabriquer plus, il faut accroître l'approvisionnement en matières premières et mobiliser toute la main-d'œuvre disponible. Des milliers d'ouvriers spécialisés sont rappelés du front, on fait appel aux colonies, aux travailleurs étrangers et aux femmes.

Les femmes à l'usine

La guerre a fait évoluer la place des femmes dans la société. Elles occupent désormais des emplois habituellement réservés aux hommes : conductrices de trams, exploitantes agricoles ou ouvrières dans les usines d'armement. Surnommées les *munitionnettes*, elles fabriquent à la chaîne obus, grenades et munitions. Cette nouvelle main-d'œuvre féminine oblige les industriels à moderniser leur outillage. Appareils de levage pour les pièces lourdes sont devenus indispensables, de même que l'automatisation des tâches qui réclament une grande force physique. Apparaissent les pétrins mécaniques pour la fabrication du pain et les machines à décharner la viande avant la mise en conserve.

Usine d'avions Curtiss à New York.

L'appel à la main-d'œuvre étrangère

Les habitants des colonies ne suffisent pas à pallier le manque de bras, et l'État organise des campagnes de recrutement dans des pays étrangers, neutres ou alliés. Espagnols, Portugais, Grecs ou encore Chinois rejoignent les usines d'armement pour les uns, les travaux agricoles pour les autres, mais sont aussi employés sur le front pour creuser des tranchées. En Angleterre, plus de deux cent mille travailleurs indiens viennent au secours de leur métropole.

COMPOSITION DE LA MAIN-D'ŒUVRE DANS LES USINES D'ARMEMENT en France entre 1914 et 1918

497 000 ouvriers mobilisés
430 000 femmes
425 000 ouvriers civils
133 000 enfants de moins de 18 ans
108 000 étrangers
61 000 hommes venant des colonies
40 000 prisonniers de guerre
13 000 mutilés

La production augmente mais la guerre coûte cher. Des affiches appelant les civils à participer aux emprunts nationaux se multiplient. Chacun est invité à verser son or pour soutenir l'effort de guerre.

MOBILISER LES ENFANTS

TÉMOIGNAGE

Rose, 11 ans, 1917.

« Depuis trois ans que cette terrible guerre est déclarée,
nous avons eu le temps d'apprendre ce que c'était que la misère.
Il serait bon que cette misérable tuerie finisse bientôt
et que tout le monde retrouve ses familles et un peu de gaieté,
pas comme avant la guerre car presque tout le monde est en deuil. »

La guerre à l'école

Dès 1914, en France, la guerre entre dans les écoles et devient le sujet des rédactions, des problèmes de mathématiques et des exercices de conjugaison. L'école glorifie la nation et entretient la haine de l'ennemi. À l'image des manuels scolaires, le décor de la salle de classe relaie la propagande patriotique et les instituteurs mobilisés écrivent à leurs élèves de longues lettres donnant des nouvelles du front. En retour, il est fréquent de voir des classes entières adopter un ou plusieurs filleuls et leur envoyer des colis. Dans certains pays, comme en Grande-Bretagne, les élèves auxquels on ne donne pas l'identité des soldats parrainés écrivent au « soldat Tommy ».

Cibles et acteurs de la propagande

Entre 1914 et 1918, l'enfant joue un rôle central et son image est largement utilisée pour encourager l'effort de guerre ou réconforter le combattant. Si la propagande se sert ainsi de l'enfant pour conditionner l'esprit des adultes, elle vise aussi les plus jeunes en investissant leurs jeux et leurs lectures. L'objectif est de développer en eux l'idée qu'ils sont les petits soldats d'une nation et qu'eux aussi doivent aider à la défendre.

En France, plus d'un million d'enfants deviennent orphelins. Pour venir en aide à cette génération qui va grandir sans père, l'État crée les Pupilles de la nation.

Au cours de cette séance d'entraînement militaire, les enfants ont remplacé le fusil par un bâton.

Les enfants aussi font la guerre

La guerre totale plonge les enfants au cœur du conflit. Victimes des bombardements, des restrictions et des exactions ennemies, les enfants sont avant tout touchés par le départ d'un père ou d'un frère et par l'angoisse quotidienne de devenir orphelin. Victimes de la guerre, les enfants en sont aussi les acteurs. Aux côtés des femmes, ils travaillent aux champs, tournent des obus dans les usines ou vendent des journaux. Bien que précipités prématurément dans le monde des adultes, ils conservent une place à part dans la société. Comme en témoignent les nombreux courriers des poilus, les enfants donnent un sens au sacrifice des soldats qui disent combattre pour leur assurer un avenir de paix.

Fatigue, épuisement, mauvaises conditions d'hygiène, cadences de travail: ces femmes et jeunes filles polonaises sont employées par les Allemands dans les mines de charbon.

JEAN-CORENTIN CARRÉ

Né au Faouët, dans le Finistère, en 1900, Jean-Corentin Carré parvient à s'engager à 15 ans en trichant sur son âge. Après avoir servi comme fantassin, il rejoint l'aviation avant de mourir en 1918 dans un combat aérien. Tantôt réels, tantôt imaginaires, les exploits des enfants héros sont évidemment récupérés par la propagande.

« Le courrier du soir a apporté avec la tienne, les lettres de Paulette et des enfants ainsi que leurs deux images. J'ai sangloté. »

Alexandre

Évoquant la douceur du foyer, de nombreuses cartes postales sont illustrées de portraits d'enfants au sourire réconfortant et au regard espiègle. Avec la série « Graine de Poilu », l'exemple du père héroïque est repris à l'envi.

SOiGNER: LES ANGES BLANCS

Chargement d'un blessé dans une ambulance.

Surnommées « anges blancs » ou « dames blanches », les infirmières incarnent le dévouement et la douceur du foyer. Elles soignent, lavent, recueillent les confidences, consolent mais aussi partagent les derniers instants du mourant.

TÉMOIGNAGE

Léon Abensour, *Les Vaillantes*, 1917.

« Grâce à la Croix-Rouge, des centaines de milliers de blessés ont été rendus à la vie, grâce à elle des centaines de milliers d'hommes privés pendant des mois de la présence féminine ont retrouvé cette présence, ont pu avoir quelques instants l'illusion de la famille, retrouvé, en image au moins, leurs mères, leurs sœurs, leurs fiancées. Et souvent ces chères images symbolisèrent pour eux toute la Patrie, celle pour qui on se bat et qui vous console quand on est meurtri. »

À la volonté de servir la patrie se mêlent aussi, pour les infirmières, le désir de sortir de la monotonie quotidienne du foyer en exerçant un métier, la nécessité d'oublier ses propres angoisses et de pouvoir dire, non sans une pointe de fierté, que l'on a participé au conflit.

TÉMOIGNAGE

« Une mondaine qui après la guerre ne pourrait citer ses services dans aucun hôpital semblerait une méprisable embusquée ; les tangos les plus suggestifs et les aigrettes les plus agressives ne pourraient racheter cette tare et la réhabiliter dans les salons sélects. Une femme qui n'aurait pas satisfait son besoin de soigner et de consoler en éprouverait un regret et une sorte d'humiliation dont elle se consolerait difficilement elle-même », affirme M. de La Boulaye, qui a lui-même partagé ce grand élan de solidarité.

Uniforme et brassard d'infirmière

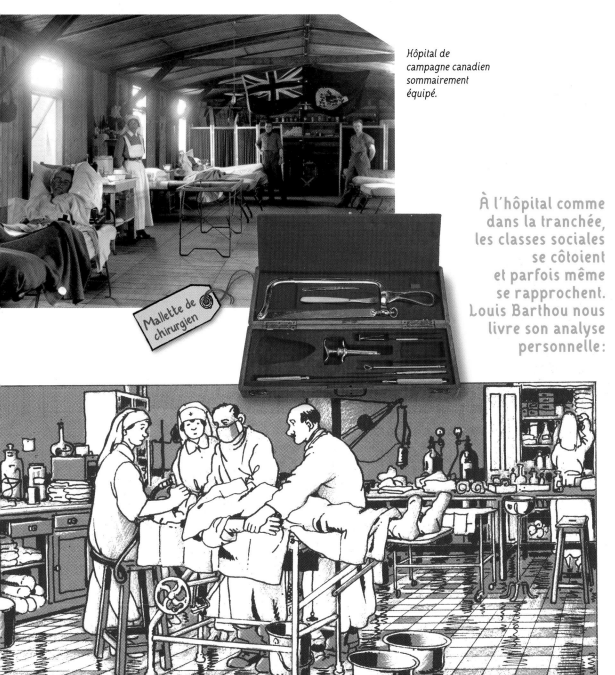

Hôpital de campagne canadien sommairement équipé.

Mallette de chirurgien

« Aux médecins la blessure, aux infirmières le blessé. »
A. Mignon, médecin chef de la 3ᵉ armée.

Infirmières canadiennes en uniforme.

À l'hôpital comme dans la tranchée, les classes sociales se côtoient et parfois même se rapprochent. Louis Barthou nous livre son analyse personnelle :

TÉMOIGNAGE

« Le sourire de l'infirmière française aura bien servi la Défense nationale, mais je le dis surtout en pensant aux lendemains de la guerre, il aura bien servi aussi l'unité nationale. [...] Quelles rancunes il aura apaisées ! Quelles jalousies il aura éteintes ! Quels préjugés il aura vaincus ! Ces femmes du monde et de la bourgeoisie qui se sont penchées sur le lit des paysans blessés ou malades, ont de leurs mains délicates, expertes aux besognes les plus répugnantes, jeté les assises d'une France plus unie et plus fraternelle où l'envie et la haine n'auront pas droit de cité... Les unes auront appris que la bravoure, la droiture, le dévouement, le désintéressement loyal et fruste, la reconnaissance émue et ingénue, peuvent habiter l'âme simple d'un paysan et d'un ouvrier. Eux, les paysans et les ouvriers revenus de leurs préventions, sauront que le luxe n'exclut pas la bonté, que la bonté n'est pas toujours un don stérile, que la jeunesse n'est pas forcément insensible, qu'on peut être jolie et généreuse, délicate et courageuse, riche et compatissante... »

TRISTE PAIX,

e 11 novembre 1918, la guerre s'interrompt en Europe.
Prévue pour seulement quelques semaines, elle a finalement duré près de cinq années.
Chez les combattants comme chez les civils, au front comme à l'arrière, personne n'est sorti indemne de la Grande Guerre. On compte près de 10 millions de morts, plus de 20 millions de blessés, 8 millions de handicapés gravement mutilés, amputés, défigurés, auxquels il faut ajouter des millions de veuves et d'orphelins.

La guerre terminée, les soldats rentrés chez eux redeviennent des civils.
Marqués à jamais par leur expérience du front, parfois profondément traumatisés par ce qu'ils ont vécu, certains connaissent des difficultés à retrouver une vie familiale équilibrée et une activité professionnelle normale. D'autres, renouant avec la vie d'avant-guerre, préfèrent tourner la page. Néanmoins, tous partagent le sentiment d'avoir vécu un drame hors du commun, d'une violence à peine imaginable et qui donne à ceux que l'on appelle désormais les « anciens combattants » une place à part dans la société.

Vingt ans plus tard, la Première Guerre mondiale et ses traités de paix terriblement humiliants pour l'Allemagne engendreront un nouveau conflit qui poussera la violence encore plus loin et fera près de 60 millions de morts...

FÊTER la victoire ?

Sculpture allégorique de Clemenceau, surnommé « le Tigre ». Le fauve français a abattu l'aigle germanique.

Joie et tristesse sur le front

« À 9 heures du matin, le 11, on vient nous avertir que tout est signé et que cela finit à 11 heures, deux heures qui parurent durer des jours entiers. Enfin, 11 heures arrivent ; d'un seul coup tout s'arrête, c'est incroyable. Nous attendons deux heures, tout est fini ; alors la triste corvée commence d'aller chercher les camarades qui y sont restés. »

Dans cette lettre adressée à ses parents, Eugène Poézévara nous fait partager le sentiment de joie empreinte de lassitude et de tristesse qui règne au front lors de l'annonce de l'armistice. Les combats des dernières semaines ont été très meurtriers face à un adversaire qui se défendait avec acharnement.

Cette affiche italienne évoque le retour du soldat auréolé de gloire.

TÉMOIGNAGE

Lettre d'Élise Bidet à son frère.

« Mercredi 13 novembre 1918

Mon cher Edmond,

Enfin c'est fini, on ne se bat plus! On ne peut pas le croire et pourtant c'est vrai! C'est la victoire comme on ne l'espérait pas au mois de juin dernier et même au 15 juillet! Qui aurait osé espérer à cette époque une victoire aussi complète! Ici, à Paris, on l'a su à 11 heures par le canon et les cloches ; aussitôt tout le monde a eu congé partout ; aussitôt les rues étaient noires de monde. Toutes les fenêtres étaient pavoisées, jamais je n'ai tant vu de drapeaux et de toutes les couleurs alliées. »

Cette gravure glorifiant la victoire des Alliés et la reddition allemande valorise la puissance de feu des chars et l'aide apportée par les troupes américaines.

Les civils fêtent la victoire

Attendue avec impatience depuis plusieurs jours, l'annonce officielle de l'armistice provoque chez les civils des pays alliés une énorme explosion de joie. En France, dans les grandes villes comme dans les plus petits villages, de joyeuses fêtes populaires voient fleurir drapeaux et illuminations. Pendant deux jours, une foule ininterrompue envahit les grands boulevards parisiens et l'entrée des troupes françaises dans Metz ou Strasbourg donne lieu à de véritables triomphes.

Foule de Parisiens sur les Champs-Élysées après le défilé du 14 juillet 1919.

Carte postale immortalisant la libération de Strasbourg enfin redevenue française.

OZANNE ANDRÉ
20 Ans Capor. 169e Infanterie
MORT POUR LA FRANCE
au bois le Prêtre
le 13 Mai 1915

«MORT POUR LA FRANCE»

Récompense morale destinée à honorer le sacrifice des soldats, la mention «Mort pour la France», créée en 1916, est inscrite par l'autorité militaire sur l'acte de décès du combattant. «Tué à l'ennemi», «Disparu au combat» ou «Mort suite aux blessures» apparaissent aussi sur la fiche et précisent la cause du décès.

Des nations en deuil

La joie de la victoire et son cortège de manifestations ne peuvent faire oublier le deuil qui touche chaque famille française. Ce 11 novembre 1918, qu'ont fait ceux qui avaient perdu un fils, un père, un frère ? Partagés entre la fierté patriotique et la douleur, rendue plus vive par le retour prochain des survivants, certains s'associent aux scènes de joie, d'autres s'y refusent.

Tabatière sculptée par un prisonnier français.

REVENIR DE LA GUERRE

Le retour des prisonniers

Les six cent mille prisonniers de guerre français qui rentrent sont des hommes usés par les privations, le travail forcé et le regret de ne pas avoir assisté à la victoire les armes à la main. Soupçonnés de lâcheté devant l'ennemi, ils ne sont pas reconnus au même titre que leurs camarades de tranchée et préfèrent, le plus souvent, se murer dans le silence. Les prisonniers allemands, quant à eux, demeurent en captivité jusqu'à la signature du traité de Versailles (juin 1919).

L'heure de la démobilisation

Dans un gigantesque mouvement d'hommes et de matériel, la démobilisation des combattants s'organise. En France, cinq millions de soldats entreprennent le voyage de retour à partir de novembre 1918, transferts qui durent plusieurs semaines et nécessitent la mise en œuvre de moyens de transport exceptionnels.

En Allemagne, la plupart des soldats rentrent sans le sentiment d'avoir été vaincus : l'armée occupe encore d'immenses territoires à l'est comme à l'ouest, dont la Belgique et le sol allemand qui n'a été foulé par aucun ennemi. Le 11 novembre 1918, la défaite paraît inconcevable pour le peuple allemand !

L'impossible oubli

De retour dans leurs foyers, les combattants cherchent à se réintégrer dans une société profondément bouleversée par la guerre. Tous ont l'espoir de retrouver leur place dans le monde du travail et d'être reconnus à la hauteur de leur sacrifice. Mais il est plus facile de reprendre son exploitation agricole que son travail en ville, et le retour des démobilisés s'accompagne d'une réduction de l'emploi des femmes que l'on encourage à retourner à des tâches d'avant-guerre.

Serpent en perles réalisé par un prisonnier turc.

BILAN HUMAIN DE LA GRANDE GUERRE

FRANCE
- Mobilisés : 8 millions
- Morts et disparus : 1,4 million
- Blessés : 4,2 millions
- Prisonniers : 500 000

ALLEMAGNE
- Mobilisés : 13 millions
- Morts et disparus : 2 millions
- Blessés : 4,2 millions
- Prisonniers : 1,1 million

GRANDE-BRETAGNE ET SON EMPIRE
- Mobilisés : 9 millions
- Morts et disparus : 900 000
- Blessés : 2 millions
- Prisonniers : 190 000

Colonne de prisonniers allemands.

Cet ancien officier allemand mutilé et décoré de la Croix de Fer est obligé de mendier pour gagner sa vie.

TÉMOIGNAGE

Un ancien combattant, 1919.

« Je suis allé dans un magasin de nouveautés pour faire quelques courses avec ma femme. La foule, les lumières, le bruissement de la soie, les couleurs des marchandises, tout était un délice des yeux, un contraste après la misère de nos tranchées. Mais tout à coup j'ai senti que mes forces allaient m'abandonner. J'ai cessé de parler. J'ai senti mes joues se creuser. [...] Dans le tramway ou le métro, je sens que les gens me regardent et cela me donne un sentiment terrible. Je sens que je leur fais pitié. Les gens me regardent et ne disent rien. Que pensent-ils de moi ? »

57

TÉMOIGNER DE L'HORREUR

Les gueules cassées

Les blessés de la face n'ont pas besoin de parler pour témoigner de l'horreur de la guerre. Dérangeantes, insoutenables, les traces du conflit laissées sur leur visage inspirent crainte, pitié ou dégoût. Ces jeunes hommes surnommés « les gueules cassées » sont quinze mille en France ; considérés comme des symboles de ce conflit sanglant, cinq d'entre eux ont été invités à assister à la signature du traité de Versailles. Ces mutilés de la face sont aussi les représentants des progrès de la médecine qui tente de redonner une forme à leur visage.

Des soldats allemands amputés réapprennent à écrire de la main gauche.

À la souffrance physique des blessés de la face, s'ajoute la douleur morale de ces hommes qui, défigurés à jamais, n'oseront plus affronter le regard de leurs contemporains.

De jeunes anciens combattants

Dans la plupart des pays belligérants, des associations d'anciens combattants se constituent et prennent une place majeure dans les sociétés d'après-guerre. En France, pays où le traumatisme a probablement été le plus profond, les associations se multiplient, reproduisant les clivages sociaux et politiques que la guerre n'a pas effacés. Les anciens combattants valides veulent désormais reprendre une vie normale, les mutilés, quant à eux, attendent réparation des pouvoirs publics. Tous partagent un sentiment commun où se mêlent pacifisme et nationalisme.

Entretien avec Otto Dix, peintre allemand très fortement marqué par la guerre.

« C'est que la guerre est quelque chose de bestial : la faim, les poux, la boue, tous ces bruits déments. [...] Tenez, avant mes premiers tableaux, j'ai eu l'impression que tout un aspect de la réalité n'avait pas encore été peint : l'aspect hideux. La guerre, c'était une chose horrible, et pourtant sublime. Il me fallait y être à tout prix. Il faut avoir vu l'homme dans cet état déchaîné pour le connaître un peu. »

Avec Kriegstruppe (1920), Otto Dix fait de ces invalides de guerre le symbole de la mutilation de l'Europe tout entière.

Les joueurs de cartes d'Otto Dix illustre la violence extrême infligée aux corps lors des combats.

Les artistes dénoncent la guerre

Peintres, écrivains, poètes, musiciens, cinéastes ont témoigné de leur expérience de la Grande Guerre et de l'énorme gâchis humain qui a résulté des cinq années de combats. Parmi eux, certains comme Otto Dix, peintre allemand (1891-1969), ont porté des regards particulièrement crus sur les traumatisés, les mutilés, les amputés porteurs de prothèses, anciens combattants désarticulés par la violence des combats. D'autres, écrivains ou poètes, comme Apollinaire, Joseph Kessel, Blaise Cendrars, Roland Dorgelès, Erich Maria Remarque ou Ernst Jünger ont raconté leur expérience personnelle de la guerre. Ces témoignages littéraires sont finalement considérés comme des documents d'histoire.

LE GÉNOCIDE ARMÉNIEN

Commencées à la fin du XIXᵉ siècle, les persécutions contre les Arméniens se transforment en massacres systématiques, à partir de 1915. Accusés de complicité avec les Alliés par le gouvernement turc, ils sont victimes d'un génocide qui fait près d'un million et demi de victimes.

Henri Barbusse, engagé volontaire à 41 ans, traduit dans ce livre son expérience du front comme soldat puis comme brancardier.

Des villages rasés, des forêts fossilisées, voilà tout ce qu'il reste des zones de combats les plus intenses.

Gravure illustrant le temps de la victoire, au centre, et de la paix retrouvée après la dévastation provoquée par les combats.

GARDER LA MÉMOIRE

«On oubliera.
Les voiles de deuil, comme les feuilles mortes, tomberont. L'image du soldat disparu s'effacera lentement dans le cœur consolé de ceux qui l'aimaient tant. Et tous les morts mourront pour la deuxième fois.»

Roland Dorgelès

Borne kilométrique bordant la Voie sacrée.

Monuments aux morts

Recouverts de très longues listes de noms, surmontés d'une statuaire évoquant le plus souvent l'héroïsme des combattants, la souffrance des veuves et des orphelins et la gloire de la patrie, les monuments aux morts se multiplient dans les années d'après-guerre. En France, on en compte un par commune, soit trente-six mille environ. Monuments du souvenir des disparus, hommage à tous les combattants morts sans avoir reçu de sépulture, ils accueillent, chaque 11 novembre, les cérémonies commémorant le sacrifice des soldats mais aussi des civils victimes des guerres.

Villages « Morts pour la France »

Depuis 1918, comme huit autres communes proches de Verdun, Fleury-devant-Douaumont est un village « Mort pour la France ». Mis à part quelques pans de murs, il n'est rien resté de ces bourgades qui n'ont jamais été reconstruites, et seules des petites bornes de bois indiquent l'emplacement des anciennes maisons. Aussi étonnant que cela puisse paraître, ces villages sans habitants ont toujours un maire, non pas élu faute d'électeurs mais nommé par le préfet après chaque élection municipale.

Le soldat inconnu

Le 11 novembre 1920, un cercueil exhumé dans un endroit tenu secret et choisi au hasard, parmi huit autres, par un ancien poilu, est déposé à Paris sous l'Arc de triomphe. C'est le Soldat inconnu, dont personne ne peut connaître l'identité ou le régiment. Il y sera inhumé solennellement quelques semaines plus tard, après avoir été décoré. Cet anonyme symbolise tous les morts français de la Grande Guerre. Une flamme brûle perpétuellement sur la plaque de bronze qui couvre sa dépouille. Elle est ranimée lors des cérémonies officielles et chaque soir par les associations d'anciens combattants. Dans plusieurs autres pays belligérants, une initiative semblable a été prise.

JOURNÉE FRANCO-BRITANNIQUE

BLEUETS ET COQUELICOTS

La France a choisi le bleuet et les Britanniques le *poppy,* le coquelicot : deux fleurs sauvages qui parsemaient les champs au début du XXe siècle et qui ont vu tomber des millions de soldats. Elles sont devenues les « fleurs du souvenir ». Le coquelicot est, aujourd'hui encore, très souvent arboré lors du *Poppy Day*, alors que le bleuet est presque totalement tombé dans l'oubli.

Cimetière de Verdun.

Les clés de la Grande Guerre

10 mots

Armistice
Traité suspendant provisoirement les combats en attendant les négociations de paix qui mettent officiellement fin à la guerre.

Arrière
Partie de la société qui se trouve en arrière du front, dans des zones épargnées par les combats. Composée en majorité de civils, l'arrière participe activement à l'effort de guerre.

Diktat (chose dictée)
Mot employé par les Allemands pour qualifier le traité de Versailles qu'ils n'ont pas été invités à négocier et qu'ils considèrent comme une paix imposée par les vainqueurs.

Front
Zone de combat entre deux armées ennemies. Le front bouge sans cesse dans le cadre de la guerre de mouvement mais reste presque immobile dans la guerre de position. Une seule idée obsède alors les états-majors : percer le front.

Guerre totale
Guerre qui mobilise non seulement les combattants du front mais aussi l'arrière : civils, femmes et enfants. Dans une guerre totale, la société tout entière devient acteur du conflit.

Gueules cassées
Appelés aussi « blessés de la face », ces combattants ont été défigurés au combat et endurent de terribles souffrances physiques et morales que la chirurgie faciale aura du mal à atténuer.

Mutinerie
Refus d'obéir à un ordre donné par l'état-major militaire.

Poilu
Surnom donné aux soldats français qui, en raison des conditions de vie difficiles dans les tranchées, n'avaient pas toujours la possibilité de se raser.

Propagande
Diffusion systématique d'informations, souvent exagérées ou fausses, visant à entretenir un sentiment de haine de l'ennemi et une confiance sans faille en la victoire.

Société des Nations (SDN)
Organisation internationale créée par le traité de Versailles ayant pour mission de maintenir la paix dans le monde.

10 dates

28 juin 1914
L'archiduc François-Ferdinand, héritier du trône d'Autriche-Hongrie, est assassiné à Sarajevo.

3 août 1914
L'Allemagne déclare la guerre à la France.

21 février 1916
Les Allemands lancent une grande offensive en direction de Verdun.

1er juillet 1916
Les forces françaises et britanniques engagent une grande offensive dans la Somme.

2 avril 1917
Les États-Unis entrent en guerre.

Avril-juin 1917
Des mutineries éclatent dans l'armée française.

6-9 novembre 1917
La révolution d'Octobre éclate en Russie. Les bolcheviks prennent le pouvoir.

11 novembre 1918
L'armistice entre la France et l'Allemagne est signé à Rethondes.

28 juin 1919
Un traité de paix entre l'Allemagne et les Alliés est signé dans la galerie des Glaces du château de Versailles.

11 novembre 1920
Un soldat inconnu est inhumé sous l'Arc de triomphe à Paris, un autre est enterré à Westminster Abbey, à Londres.

10 chiffres

70 millions de combattants
10 millions de morts
21 millions de blessés
8 millions de mobilisés français
1,4 million de Français tués
13 millions de mobilisés en Allemagne
2 millions d'Allemands tués
1 561 jours de combat
9 millions de mobilisés britanniques
900 000 Britanniques tués

10 personnages

Albert Ier (1875-1934)
Couronné roi des Belges en 1909, il incarne la résistance à l'invasion allemande de son pays. Surnommé le « roi-chevalier », il rentre triomphalement à Bruxelles après la fin de la guerre.

Georges Clemenceau (1841-1929)
Surnommé le « Tigre », cet homme politique qui prend la tête du gouvernement en 1917 est aussi appelé le « Père la Victoire » pour sa détermination à gagner la guerre.

Ferdinand Foch (1851-1929)
Après avoir joué un rôle décisif lors de la bataille de la Marne, il assume divers postes de commandement, organise la contre-attaque victorieuse en 1918 puis conduit les pour-parlers de l'armistice.

Guillaume II (1859-1941)
Empereur d'Allemagne et roi de Prusse de 1888 à 1918, il mène une politique militariste qui participe au déclenchement de la guerre. À l'approche de la défaite et face aux émeutes révolutionnaires qui secouent son pays, le Kaiser abdique et s'exile aux Pays-Bas.

Jean Jaurès (1859-1914)
Cet homme politique socialiste consacre les dix dernières années de sa vie à lutter contre la guerre. Son combat prend fin le 31 juillet 1914, jour de son assassinat à Paris par un nationaliste.

Joseph Joffre (1852-1931)
Vainqueur de la bataille de la Marne, il est nommé commandant en chef des armées françaises en 1915. Critiqué après l'échec de l'offensive sur la Somme, il est remplacé par le général Nivelle. Élevé à la dignité de maréchal de France, il participe au défilé de la victoire.

Mata-Hari (1876-1917)
Danseuse d'origine hollandaise, elle fréquente hommes politiques et militaires de haut rang, est recrutée par les services d'espionnage allemands. Les renseignements fournis n'ont pas été d'une grande importance, mais l'espionne, une fois démasquée, a été fusillée par les Français.

Philippe Pétain (1856-1951)
Général dès août 1914, il est nommé à la tête du front de Verdun en 1916. Il remplace Nivelle après le dramatique échec de 1917 et parvient à rétablir l'ordre dans l'armée après les mutineries. Devenu maréchal en 1918, il deviendra chef de l'État français en 1940 et entraînera la France dans la collaboration.

Manfred von Richthofen (1892-1918)
Surnommé le Baron Rouge, cet « as des as » de l'aviation allemande a remporté 80 victoires avant d'être abattu lors d'un combat aérien.

Woodrow Wilson (1856-1924)
Élu président des États-Unis en 1911 puis réélu en 1916, il engage militairement son pays dans la guerre, en avril 1917. Son action en faveur de l'arbitrage des conflits lui vaudra le prix Nobel de la paix, en 1920.

10 livres

À l'Ouest, rien de nouveau, Erich Maria Remarque, 1929.
L'auteur relate avec force la vie dans les tranchées du côté allemand. Ce roman qui décrit la souffrance du soldat est avant tout un hymne à la paix.

Calligrammes, poèmes de la paix et de la guerre, Guillaume Apollinaire, 1918.
Ces poèmes de guerre et poèmes d'amour écrits en forme de dessins témoignent de l'expérience du combat de Guillaume Apollinaire.

C'était la guerre des tranchées, Jacques Tardi, 1993.
Cette bande dessinée noir et blanc évoque tous les aspects de la guerre sans aucune héroïsation des combattants et place l'homme au cœur de la violence.

L'Adieu aux armes, Ernest Hemingway, 1929.
Se déroulant sur le front italien, ce roman raconte une histoire d'amour impossible entre un soldat et une infirmière.

L'Équipage, Joseph Kessel, 1923.
Ce roman évoque l'héroïsme des aviateurs et des observateurs de chasse pendant la Première Guerre mondiale.

La Main coupée, Blaise Cendrars, 1946.
Engagé volontaire dans l'armée française, Blaise Cendrars, de nationalité suisse, raconte ses années de guerre et la perte de sa main droite en 1915.

La Trêve de Noël, Michael Morpurgo, 2005.
Ce roman destiné aux jeunes lecteurs évoque avec pudeur et émotion les fraternisations qui se sont déroulées lors du Noël 1914.

Les Croix de bois, Roland Dorgelès, 1919.
L'auteur raconte par le quotidien tout ce qui fait la vie d'un poilu, ses sentiments, ses souffrances et l'horreur des combats.

Orages d'acier, Ernst Jünger, 1920.
Ce témoignage relate l'expérience d'un combattant allemand, héros militaire de la Première Guerre mondiale.

Paroles de Poilus, 2003.
Tendres et poignantes, les lettres rassemblées dans ce recueil donnent de l'histoire de la Grande Guerre une image authentique et humaine

10 films

Charlot soldat, Charlie Chaplin, 1918.
Réalisé à la fin de la Première Guerre mondiale, cette comédie met en scène Charlot dans les tranchées en proie à l'insalubrité, à la peur, au mal du pays... tandis que les obus pleuvent et que les batailles font rage.

À l'Ouest, rien de nouveau, Lewis Milestone, 1930.
Allemagne, année 1914, les civils acclament les troupes qui partent pour le front. Sept lycéens, séduits par les discours patriotiques de leur professeur, s'engagent sous les drapeaux et finissent par rejoindre le front où le cauchemar les attend.

La Grande Illusion, Jean Renoir, 1937.
Lors d'un vol de reconnaissance, un capitaine et son mécanicien sont abattus par un as de l'aviation allemande. Transférés dans un camp de prisonniers, ils envisagent de s'évader.

Les Sentiers de la Gloire, Stanley Kubrick, 1957.
1916, le conflit entre la France et l'Allemagne s'enlise. Lors d'une offensive suicidaire lancée contre une position allemande, les hommes tombent par dizaines et leurs compagnons épuisés refusent d'avancer. Rendus furieux par ce qu'ils considèrent comme une mutinerie, les généraux décident de faire exécuter pour l'exemple trois jeunes militaires choisis au hasard.

La Vie et rien d'autre, Bertrand Tavernier, 1989.
Dans la France de l'après-guerre, deux jeunes femmes recherchent l'homme qu'elles aiment, disparu dans l'horreur des combats. Le commandant Delaplane doit les aider, mais il est aussi chargé de désigner le soldat inconnu qui reposera sous l'Arc de triomphe.

Capitaine Conan, Bertrand Tavernier, 1996.
Guerrier accompli, le capitaine Conan et ses « nettoyeurs de tranchées » se battent au couteau. L'armistice est signé en France mais l'armée d'Orient, dans laquelle il sert, n'est pas démobilisée et continue le combat contre les bolcheviks.

La Chambre des officiers, François Dupeyron, 2001.
La Première Guerre mondiale a à peine commencé qu'un jeune officier est gravement blessé au visage. Transféré à l'hôpital du Val-de-Grâce, il va suivre le déroulement de la guerre depuis son lit d'hôpital.

Un long dimanche de fiançailles, J.-P. Jeunet, 2004.
1919... la guerre est finie et le fiancé de Mathilde n'est pas rentré du front. Le jeune homme aurait été condamné à mort pour mutilation volontaire et jeté sur le no man's land. Refusant l'évidence, sa fiancée entreprend de partir à sa recherche.

Pour l'exemple, Joseph Losey, 1964.
Les dernières heures d'un jeune soldat britannique, en 1917, sur le front belge. Arrêté alors qu'il fuyait les combats, il est jugé pour désertion.

Les Fragments d'Antonin, Gabriel Le Bomin, 2006.
Antonin est un soldat que la fin de la guerre laisse profondément traumatisé. Le médecin qui le soigne tente de lui faire revivre certains moments pour l'en libérer.

Guillaume
Apollinaire

CEUX QUI SONT PARTIS A LA GUERRE AU NORD SE BATTENT MAINTENANT
Le soir tombe O sanglante mer
Jardins où saigne abondamment le laurier rose fleur guerrière

La Grande Guerre au musée

Quatre-vingt dix ans après la fin du conflit, il est important de montrer au public tous les objets, militaires et civils, qui ont marqué la vie des hommes et des femmes pendant la Grande Guerre. On pourra visiter les collections du musée de l'Armée, à Paris, parcourir les salles de l'Historial de Péronne (Somme) et l'impressionnant Mémorial de Verdun (Meuse), à proximité de la zone des combats. Un grand projet va voir le jour à Meaux (Seine-et-Marne), point maximal d'avancée des troupes allemandes lors de la bataille de la Marne.

Depuis l'acquisition en 2005 d'une collection privée d'envergure européenne, la Communauté d'Agglomération du Pays de Meaux travaille à la création d'un musée sur la Grande Guerre. Implanté sur le territoire même de la première bataille de la Marne, le musée abordera l'ensemble de la Première Guerre mondiale en s'appuyant sur sa collection unique et sur de nombreux dépôts de pièces emblématiques (véhicules Berliet, taxi de la Marne, avion, char, canons...). Un bâtiment neuf de 6 500 m² environ sera construit à proximité du monument *La Liberté éplorée*, groupe allégorique élevé à la mémoire des soldats tombés aux batailles de la Marne et inauguré en 1932. Cadeau des États-Unis à la France, le monument, d'une hauteur de 21 mètres, est taillé dans 220 blocs de pierre de Lorraine. Il sera le point de repère du Musée de la Grande Guerre.

L'espace d'exposition permanente, réparti sur 3 000 m², à travers une muséographie moderne, attractive et évolutive, abordera ce conflit comme une période de transition entre le XIXᵉ et le XXᵉ siècle, évoquant aussi bien les innovations techniques, la mondialisation que l'évolution des mentalités, tout en veillant à placer l'Homme au cœur de son discours.

En complément, le centre de documentation, l'auditorium, les salles d'animation pédagogique, la boutique et le lieu de restauration offriront toutes les conditions d'accueil indispensables au confort des visiteurs. Depuis le musée, ils auront aussi la possibilité de partir à la découverte des lieux de mémoire implantés sur le territoire, telle la tombe de Charles Péguy, en suivant un circuit balisé.

L'ouverture est prévue en 2011, mais d'ores et déjà le musée de la Grande Guerre du pays de Meaux s'inscrit dans le réseau des lieux d'histoire et de mémoire en développant les partenariats avec le musée de l'Armée à Paris, l'Historial de Péronne, le Mémorial de Verdun, l'Imperial War Museum de Londres, In Flanders Fields Museum à Ypres, en Belgique.

La Liberté éplorée, statue élevée à la mémoire des soldats tombés aux Batailles de la Marne.